新潮文庫

歴史と視点

—私の雑記帖—

司馬遼太郎著

新潮社版

2628

目次

大正生れの『故老』……七
戦車・この憂鬱な乗物……二七
戦車の壁の中で……五六
石鳥居の垢……八〇
豊後の尼御前……一〇四
見廻組のこと……一三一
黒鍬者……一五四
長州人の山の神……一七九
権力の神聖装飾……二〇九
人間が神になる話……二三四

歴史と視点

——私の雑記帖——

大正生れの『故老』

グアム島の密林から旧日本陸軍の下士官が出てきたという、私にはまったくじかの関係のない事柄《ことがら》であるのに、いくつかの新聞社から意見を求める電話がかかってきた。

「それ自体が天皇制への告発である」

とか、「戦陣訓がいかに重いものであったか」とか、「これこそ真の日本人である」といったふうの日教組講師団風な、あるいは戦前の小学校の訓示風のシリアスな意見を新聞社が期待したかもしれないが、私には——他の多くのひとびともそうだろうが——そんな偉い存在が二十八年間も南海の観光地の密林にひそんでいたということじたいが文明と人間への一大哄笑《こうしょう》であるように思え、うまれてから味わったことのない知的なユーモアを、大げさにいえば卒倒するほどの感動をもって味わってしまった。

人間というのは日常世界のベルト・コンベアの上に載せておくと他の生物同様、いかにもしおらしい。しかしひとたび——戦争や革命などで——まかりまちがうと何を仕出かすかわからないバケモノ性をもっている。バケモノは一面では戦慄《せんりつ》的だが、一面ではとほうもなく雄大である。日常世界にあってその戦慄にあこがれる体質の人は好戦的ドスの利《き》いた畳の上の愛国者になり、雄大にあこがれる体質の人は焦《こ》がれるような革命願望者になるのであろう。しかし二十八年も密林にいたひとは、集団的戦慄ではなくただひとりで戦慄をつづけていたという点で、人間の記録された歴史のなかでまったく前例のない型を提示した。ここまでゆけばほとんど肉体性を帯びない形而上《けいじじょう》的世界の存在だが、しかし現実にこの人はたれよりもすぐれた日常的能力をもち、密林の中では毎日体操をし、食物を調理し、居穴に空気抜きをつくり、生活に必要な諸道具を手製でつくってそれをこまめに整頓《せいとん》していたという。形而上的観念が、こまごまとした形而下的能力でささえられていたのである。

しかし、戦争という集団的戦慄を稀有《けう》なことながらそれを単独で戦慄し、しかもその単独の戦慄を二十八年も持続しつづけたということの信じがたい人の出現について、なぜ私のようなただの日常人が意見をもとめられねばならないのか。

「それは、あの、……あなたが大正うまれでいらっしゃるものですから」

と、電話のむこう側で若い声が返答してきたのには閉口した。まるで故老あつかいであった。このグアム島からやってきた人はたしか大正四年のお生れであったように書かれている。私の出生は大正十二年である。大正時代というのはわずか十四、五年しかないのに、その年代にうまれたひとのほとんどが兵士として駆り出され、多くが戦死したため、戦争に使われた世代として、後続の世代のひとびとからは一つカラーのようにみられるらしい。「だからなにか感想があるでしょう」と質問者はきくのだが、私は横井さんに似た環境におかれていたわけではないから、自分の体験に照らしあわせた感想などがあるはずがない。そう言って断わると、

「ですが、なんといってもおなじ大正うまれでいらっしゃいますから」

と、たかがおなじ年号のもとにうまれたというだけで、質問者は私を横井庄一《よこいしょういち》氏という奇傑？の整理番号の中に押しこんでしまおうとして躍起なようであった。質問者は昭和二ケタ生れぐらいの年頃《としごろ》らしく、かれからみれば大正生れというのはオバケの集団のように見えるのかもしれなかった。

私の中学時代に、大迫倫子《おおせこりんこ》という当時のうら若い女性評論家が、「娘時代」という、いきいきとした世代的感覚に富んだ青春論を書かれて、ベストセラーになったことが

ある。大正八年うまれの姉がそれを買ってきたので私も寝ころがって読んだ記憶があり、あるいは世代的青春論というもののこれは先駆的作品であったかもしれない。その書物のなかで、「大正うまれのお嬢さん」という言葉がしきりにつかわれていて、文章がとびきり軽妙だったせいか、その大正うまれという言葉に、目にまぶしいほどの魔術的な新鮮感を覚えさせられた。が、子供心にも安心できないとおもった。なにしろ大正という年号は十四、五年しか存在しない。年号を冠することによって若さの魔術性を誇示できるのはほんの一時期で、あとは昭和年号の世代が淼々《びょうびょう》たる洪水《こうずい》のように押しよせてきて孤立し、いずれ中州に追いあげられて博物館的イメージが固定してしまうのは算術的に確実なのである。たとえば昭和うまれの野坂昭如《のさかあきゆき》氏は私とわずか七つしかちがわないのに、どこかの欄で「親切なおじさん」といったふうの紹介を、情けなくもしてくれていたが、野坂氏がわるいのではなく、氏が昭和世代という対岸にいて雲霞《うんか》のごとき大軍を擁しつつはるかに大正の中州を望見するというオゴリがそうさせたのにちがいない。

「やはり、戦陣訓でしょうな」

と、昭和二ケタ生れらしい質問者は、なおも質問をやめないのである。

なるほどそういうチャチな小冊子があったことを久しぶりで思いだした。しかしそういう陸軍大臣の名前による刊行物が、兵士たちのモラルや意識を拘束してついに横井氏のようなひとを出してしまったというほど重いものだったかどうかは、疑問である。あれを出したのは陸軍大臣東条英機《とうじょうひでき》で、戦争そのものが泥沼《どろぬま》に落ちこんでしまっているころだったように思う。たかだか一省の大臣という役人が、法規をつくるならともかく、孔子《こうし》やキリストもしくは当時の天皇のように道徳をつくりだすような権能をもっていいものであるかどうかについては、これが刊行されたころすでに無言の批判があった。軍人にはいわゆる「軍人勅諭」があればいいというのが、よくささやかれていた。私は関東軍で教育をうけ、そのあと現役兵のみの連隊に属してほんの一時期初年兵教育もさせられたが、「戦陣訓」というものが教材につかわれている現場を見たことがないのである。

「生きて虜囚の辱《はずかしめ》を受けず」

というあの美文調の刊行物が、現実の軍隊社会でどれほどの影響力や拘束力をもっていたかということになると、そういう刊行物とは無関係に軍隊社会は存在していたと証言（故老？としての）せざるをえない。幹部候補生試験などでも、「軍人勅諭」を暗記しているかどうかがテストの対象になるが、「戦陣訓」はそういうテスト材料にもなっていなかったようにおもえる。「戦陣訓」が発行されたときそれをニュースとしてやかましく書き立てたのはむしろ新聞であって、それを新聞紙上で読まされた民衆が兵隊としてとられるとき、ああ、ああいうものがあったな、という程度の影響として存在したものであろう。要するに、マスコミのから騒ぎである。そのマスコミが、戦後二十八年経《た》ってグアム島の密林から横井庄一氏が現われ出てくるという異常な事件にぶつかったとき、この事件の理解にくるしんだあげく、「つまりは戦陣訓の重味である」というごく簡単な整理法による解釈に落ちつかせてしまおうとしているらしいのは、ずいぶん手前勝手な観がある。

新聞社にもむろん、戦争にひっぱり出された大正生れの故老が多い。しかしどの社でもかれらのほとんどは社会部の現場から離れてしまっている。たまたまデスクに助言できる立場にそういう人がいたとしても、

「あれはそれほどでもなかったよ」

といったところで、締切り前で気の立っているデスクをふりむかせることはできないにちがいない。事件はつねに突発するのである。それをわずかな時間で判断せざるをえない新聞製作の現場においては、悠長《ゆうちょう》な低徊《ていかい》趣味的な故老の助言などかまってお れるものではなく、結局は痴情による殺人、保険金めあての放火、戦陣訓による二十

八年、といったふうに片づけてゆかねばならない。

すでに故老かとわれながら思わせられたことが、昭和三十五年ごろだったかに突発した。そのころテレビ会社につとめている友人が遊びにきて、戦場を舞台にした単発のドラマをつくるのだという。ついてはなにか脚本にすべき話のたねがないかというので、たまたま思いあたることがあり、それを話してやったところ、友人は脚本家にたのんでそれを脚本にした。脚本を見ると私が話してあげた内容よりはるかによく出来ていて感心したが、しかし致命的な難点は、階級が逆になっていることであった。劇の世界では軍曹《ぐんそう》がなんと将校で、見習士官が下士官になっており、その見習士官がやたらとしゃちこばって上官である軍曹にむかい、「ソウデアリマス」などと叫んでいるのである。

この脚本を書いた人は私などよりわずか十歳ぐらい下という年齢のひらきでしかない。しかも才能のゆたかなひとであり、知識のひろさは古今東西たとえば弥生《やよい》式時代やギリシャ時代といった考古学世界にまでおよんでいるように思えるのだが、しかしほんの十歳年長の同国人がすごした時代の風景、とくにその風景のなかの事物の鮮明度が、弥生式時代の事物よりも遠霞《とおがすみ》にかすんでいるのではないかとさえおもわれる。

われわれは故老にされた。一時は大いに悲嘆したが、しかし多少の救いは、私と同年輩の犬養道子《いぬかいみちこ》さんの書物がそのころ評判になっていたことであった。その書物は、「お嬢さん放浪記」である。当時の犬養さんがお嬢さんなら当時の私も十分坊っちゃんと言われてもいい資格があるわけだが、その坊っちゃんが別な場面ではまぎれもなく故老なのである。

要するに、のちのち昭和四十年代の編年史を編むひとは、横井庄一氏について「戦陣訓の掟《おきて》を守って二十八年間、南海の密林で潜伏していた」と書くかもしれず、原因と結果を明快にしたがる歴史的記述というものは往々にしてそういうぐあいになりかねない。このように記述がおこなわれる以上、戦陣訓というあのへんぺんたる小冊子がにわかに史的重量を増し、昭和十年代末期を覆《おお》っていた巨大な黒雲のように評価されぬともかぎらない。

「捕虜というのは、日本の歴史のなかでどういうぐあいになっているのでしょう」

と、質問者はなおもたずねるのである。

かつて東大の安田講堂の攻防戦で、籠城《ろうじょう》していた学生がついに両手を頭上にあげて機動隊に降伏し、捕虜になった。ああいうカッコのわるさはアメリカのギャング映画のおそらくは見すぎであって、戦国時代ぐらいまでの日本の習慣では降伏すれば機動隊員になり、警棒を右手《めて》に楯《たて》を左手《ゆんで》に持って逆に学生を攻めあげるという武勇を示さねばならない。その点、日本の将棋とおなじで、駒《こま》をとればすぐその駒を敵にむかって使うというぐあいになっているのである。

この大らかな習慣は、秀吉《ひでよし》の朝鮮ノ陣という外征においても変りはなかった。朝鮮軍や明《みん》軍に投降する武士が多かった。その数字は、三千人という単位が文献に出ているほかよくわからないが、五千人ぐらいはいたように思える。投降の理由は、傷病とか飢餓といった不可抗力によるものといったようなしおらしいものではなく、むしろ逆に戦闘力が常人以上であるという自己評価のもとに敵へ奔《はし》った。当時の価値観というのは忠不忠というより、武勇がどうかということであり、敵にとって役立つ自分でなければ敵へ奔るに値しないのである。日本人というのはそういう大らかな歴史を経た民族であることを私《ひそ》かな誇りとしたい。

私はこの時期の降倭《こうわ》に多少関心があった。去年、私は韓国《かんこく》へ行ったとき、ついでながら朝鮮側の文献に出ている降倭の村というのを探し出して立ち寄ってみた。降倭の大将は朝鮮側の文献（慕夏堂《ぼかどう》文集）では沙也可《さやか》（左衛門《さえもん》のことだろう）という名になっている。かれは釜山《ふざん》上陸後すぐ敵に奔って帰化し、降倭三千の将となって大いに勇名をうたわれ、戦後二品という高位にのぼった。この人物は日本側の文献（宇都宮高麗《こうらい》帰陣物語）に出てくる阿蘇宮越後守《えちごのかみ》という人物かもしれない。右の書では「……高麗へ走り申候《そうろう》。只今《ただいま》は高麗の帝の御意《ぎょい》に入《いり》、人数二千計《ばかり》の大将仕《つかまつり》候」ということになっていて、べつに攻撃されてはいない。敵へ奔った理由は「加藤主計《かとうかずえ》殿（清正《きよまさ》）と曲事《くせごと》（いざこざ）があってそのようにした」とあり、要するに自分の大将が気に入らなかったから自分から縁切りの言葉をたたきつけて朝鮮側へ奔っただけのことである。すでにのべたようにこの種のことは戦国期によくあったことであり、これについての道徳的価値の問題はなく、むしろいさぎよしとさえされる気分があった。

ただ秀吉はその政権を確立すると、この種の風習は支配体制をくずすものだとして「主人を見限って他家に仕えようとする者に対しては決して抱えたりしてはならない」というおふれを諸大名に出した。当時の言葉で、「奉公構《ほうこうがまい》」という制裁であった。ただし実利面で再就職というのを封殺しようとしただけで、モラルの面で封殺しようとしたわけではない。これがモラルの面にまで及んで忠誠心がやかましく強調されるのは徳川時代であったが、徳川時代には藩同士が戦うという内乱は幕府瓦解《がかい》後の戊辰《ぼしん》戦争以外になかったから実例を見ることはできない。

もっとも、薩英《さつえい》戦争という対外戦が幕末にあった。このとき不可抗力によるものとはいえ、捕虜が数人出た。しかし薩摩藩がこれを不道徳としたような形跡はなかった。かれらは帰還後も十分な処遇をうけ、その捕虜団のなかから寺島宗則《むねのり》という外務大臣も五代友厚《ごだいともあつ》という政商も出ているのである。武士の時代というのは、要するにそういうものであった。

投降や逃亡が、それが国家に対する最悪の裏切りであるというかつての武士時代にはなかった道徳律が軍隊をおもおもしく支配しはじめたのは、明治後、百姓階級から兵隊をとるという徴兵令ができ、各地に鎮台《ちんだい》ができたときからだったろうとおもわれる。当時、軍政担当者も軍隊幹部もことごとく旧武士階級の出身で、百姓の兵隊というこの珍奇なるものを、長州人以外は（というのは長州は幕末に奇兵隊という庶民軍をつくって成功したため）信用していなかった。はたして西南戦争がおこると、百姓兵たちは恐怖のあまり陣地をすてて逃げだす者が多く、これには官軍はよほど手こずったらしく、ついに、

「兵が逃げることによって戦勢が崩れる場合、将校は戦線の崩壊をふせぐためにこれを斬《き》ってもよろしい」

という意味の布達を参軍山県有朋《やまがたありとも》の名で出すにいたった。現場の将校がその部下である兵の生殺与奪をにぎるという権能は実行例こそきわめてまれであったが、日本陸軍の崩壊まで生きつづけた。

士族軍である薩摩軍のほうも、戦争の末期に、「瓦《かわら》となって全《まった》からんより、玉となりて砕けよとは各自かねて知るところ。……あにおめおめと敵にくだり、軍門に惨刑《さんけい》せらるるをはじざらんや」という諸隊順達を出し、玉砕をもって理想とし、投降は敵に惨刑されるだけであるという死の名誉と生の恐怖を説くにいたっており、まさに「生きて虜囚の辱を受けず」の原形をなすものであろう。ただ敗勢が決定的になったとき、諸隊幹部をあつめ「進退は勝手にせられよ」と申しわたした。これによって熊本《くまもと》隊その他の諸隊が各地で降伏した。戦後、官軍がおこなった刑は、捕虜二千七百十余人のうち、死刑はわずか二十二人にすぎなかった。

日清《にっしん》・日露戦争では、日本側は条約改正への国際的信用の下地をつくるという目的もあって、敵の捕虜をあつかう上で戦時国際法の優等生であったことは、よく知られている。

私の手もとに、日清戦争のとき広島大本営の軍事内局長だった少将岡沢精《おかざわくわし》の各師団長へ送った通達文の草稿がある。

「我軍ハ仁義ヲ以《もっ》テ動キ、文明ニ依《よっ》テ戦フモノナリ。故《ゆゑ》ニ我軍ノ敵トスル処《ところ》ハ敵国ノ軍隊ニシテ、其《その》一個人ニアラズ。サレバ敵軍ニ当リテハ素《もと》ヨリ勇壮ナリト雖《いへど》モ、其降人、捕虜、傷者ノ如《ごと》キ、我ニ敵抗セザルモノニ対シテハ之《これ》ヲ賞撫《しゃうぶ》スベキ事、嚮《さき》ニ陸軍大臣ヨリ訓示セラレタルガ如シ」

戦うについても、

「文明を準拠として戦う」

などというあたりが、明治の新興国家の軍人らしい昂揚《こうよう》であり、昭和期に中国へ侵略戦をやった軍部指導者たちにくらべると、まるで別な民族であったような観さえある。


軍隊内部に対しても、「戦陣訓」のような督戦隊的などぎつい脅迫的布達文はなかった。しかし庶民から兵としてかり出された者たちにとっては、国家という、江戸時代の庶民がもったことのない絶対的存在が、存在そのものとして否応《いやおう》をいわせない脅迫力をもっていたことはたしかで、たとえば一等兵にとっては上等兵という上級者そのものがすでに国家であり、国家とおなじ重量と威圧力をもっていたことはたしかである。

日清・日露という二つの戦争では自発的な投降者は出なかったようであった。もっとも日露戦争になると、包囲された連隊が、連隊長の大佐ぐるみ降伏して捕虜になったという例がある。肉体的不可抗力による降伏ではなく、戦術的不可抗力による降伏であった点、いかにも「文明に準拠」した行動だが、日本軍としてはめずらしい事例といえるかもしれない。

日露戦争において日本軍が出した捕虜はたしか三千人内外だったと思うが、かれらがロシア本国の収容所に容《い》れられていたとき待遇改善要求などをして騒いだりしているから、戦陣訓的な陰惨さがあまりなかったように思える。ただ捕虜として帰国したあと、西洋におけるような、義務を果した戦士として大いばりでいるというぐあいにはいかなかった。捕虜ははずかしいものだという陰湿な気分的価値観が、たれが作りあげたものか、町や村にすでに出来あがっていたのである。

近代国家というのは、じつに国家が重い。庶民のながい生き死にの歴史からいえば明治というのは国家というとほうもない怪物の出現時代であり、その怪物に出くわした以上はもはや逃げようはなかった。「西洋人もこれをやっているのだ」という国家の文明活動として徴兵され、その巨大な怪物を兵士の一人々々が背負わされた。押しつぶされて死ぬまで歩き、走り、銃を撃つのである。もっとも良き兵は、敵を恐怖するよりも国家を恐怖する兵であった。それでも明治国家は、国家と自己に同一性を実感している運営者をもったことによって、昭和期の国家にくらべてはるかにましであり、庶民はそういう点であかるく自己を放棄してしまえるという救いがあった。

その点、軍閥にこの国を占領されてしまっていた昭和十年前後以後の国家というのは、あれが国家だったかとおもわれるほどにインチキくさい。

たとえば日本海軍である。

日本の海軍というのは日本海海戦が原形になっており、侵略用の海軍ではなく、防衛用の海軍としてつくられ、継承されてきた。どこの国でもそうであったように仮想敵を想定してつくられている。仮想敵は米国海軍であった。かつてバルチック艦隊が懸軍万里はるばる極東にやってくるのを日本近海で待ち伏せし、待ち伏せによってこれを覆滅したように、その後もこの戦略原形を継承し、米国の大艦隊が日本近海にやってくるという設定のもとに艦隊をつくった。遠洋決戦というのは元来が不可能として作られており、さらには日本近海で主力決戦をするにしても決戦は一度きりで二度はできなかった。

「なぜそういう艦隊だということを、国民にも陸軍にも知らせておくということをしなかったのでしょう」

と、私は、戦争中大本営の高級参謀だったひとにきいたことがある。

「じつは」

と、そのひとは、じつは私にもその点が不思議でした、と正直に答えられた。R元大佐としておこう。Rさんが海軍の参謀養成機関である海軍大学校の学生だったとき、毎度兵棋演習というのがある。敵味方にわかれて学生が兵棋をうごかして艦隊決戦をし、その勝敗を教官が判定するのだが、あるときRさんが教官に、

「それで、つまり、コレッキリですか」

と、質問した。

「コレッキリだ」

と、教官はいう。ところで素人《しろうと》がもつ疑問は、戦争はそのあともつづくはずである。「敵が六割沈み、味方が四割沈んだ。それでおしまい」という判定だけで現実の戦争は幕にならないであろう。が、教官はくりかえし、

「コレッキリだ」

というのみで、あとは察せよ、というぐあいだったという。要するに日本海軍は太

平洋戦争の現実がそうであったような、北はアリューシャンから西は東シナ海、南は東南アジア、インド洋までオハジキを撒《ま》いたように軍艦を散らばらせてしまうような戦争は元来やらないように、むしろ金輪際《こんりんざい》できないようにつくられていたのである。

「じつはこれが日本海軍の実態だ」

ということを、もし太平洋戦争をおこす前に海軍の首脳が陸軍の作戦首脳に正直にうちあければ、すでに陸軍の参謀たちが、軍人である前に政治発狂者になっていたとはいえ、あの常識で考えられない多方面作戦――大風に灰を撒いたというような、いわば世界戦史に類のない国家的愚行――を思いとどまったであろう。

陸軍は陸軍で、その現実を国民に知らせることを一度もしなかった。日露戦争のころの日本陸軍の装備は世界の準一流で、第一次世界大戦以後に日本陸軍のそれは第三流であり、第二次世界大戦のころには信じられないほどのことだが、日露戦争時代の装備にほんの毛のはえた程度のものでしかなかった。その装備は満州の馬賊を追っかけているのが似合いで、よくいわれる「軍国主義国家」などといったような内容のものではなかった。このことは昭和十四年のノモンハンでの対ソ戦の完敗によって骨身に沁《し》みてわかったはずであるのにその惨烈な敗北を国民にも相棒の海軍にも知らせなかった。その陸軍が強引に押しきって、ノモンハンからわずか二年後に米国と英国に宣戦布告をしているのである。こういう愚行ができるのは集団的政治発狂者以外にありうるだろうか。

兵力の分散を避けるというのは軍事の初歩だが、かれらは足腰の立つ国民を総ざらいにして日露戦争程度の装備をもたせ、中国から北太平洋、南太平洋の諸島といった、地球そのものにばらまいてしまった。ばらまいたあと、どう始末するつもりもなかった。いかなる軍事的天才でもこれを始末できるような戦略を考えられるはずがない。

結局は、「戦陣訓」である。

「生きて虜囚のはずかしめを受けるな」

と、説教するのみである。この一手しかなかった。

太平洋戦争には戦略というものはなかった。横井庄一氏のような兵隊を汽船に乗せ、地図にあるかぎりの島々にくばってまわり、配るについては海軍がその護衛をし、まるで棄民のように島々に捨て去りにしたあとは、東条英機という集団的政治発狂組合の事務局長のような人が、東京の大本営で「戦陣訓」というお題目をひたすらに唱えつづけただけの戦争であった。そして横井さんが戦後二十八年してグアム島の密林から出てくるのである。

太平洋戦争というのは、それだけの戦争である。

この戦争からひきだせる教訓などなにもない。

「戦争はイヤですね」

と、羽田での記者会見で、横井さんに対して代表質問をする記者がいったが、ついでに、

「集団的政治発狂というのはイヤですね」

とも言ってほしかった。戦争はイヤですね、などというやに哲学性をもった高級な感想は、あの太平洋戦争を下地にする以上、「戦陣訓」同様、どうにもインチキくさく、故老の私にはつい安物のチャルメラのようにきこえてしまうのである。

できれば、戦争はイヤですね、というような女性言葉をつかわず、

「日本は地理的に対外戦争などできる国ではありませんね」

というふうに言ってもらうほうがよく、いわゆる十五年戦争にわずかでも教訓がひきだせるとすれば、そういうあたり前の、小学生なみの地理的常識を再確認した、ということだけである。まことに戦争はイヤである、しかしながら政治的発狂はスキである、というイヤ・スキではまだまだ日本人は油断がならず、イヤダイヤダと言いながら集団ヒステリーをおこしつつ戦争ごっこをしている反戦騒ぎをみると、そのアジ

ビラの文体と言い、アジ演説の口調と言い、なにやら東条という人がつい思いだされてならないのは、共同幻想の持ちかたや政治的幻想によって戦慄《せんりつ》する体質が、同じ民族ということもあって変に似てしまうせいかもしれない。

私はつい不覚にも大正時代にうまれてしまった。このため戦争時代を兵隊として多少体験したということで、後続世代のひとびとからどうやら中州に入れられている。しかしその立場から提言できることがあるとすれば、反戦とか非戦とかという裏返しの旧軍人じみた感情コトバを題目のように唱えることでなく、日本というこの自然地理的もしくは政治地理的環境をもった国は、たとえば戦争というものをやろうとしてもできっこないのだという平凡な認識を冷静に国民常識としてひろめてゆくほうが大事なように思えるのだが、どうだろうか。

戦車・この憂鬱《ゆううつ》な乗物

昭和三十三年だったか、札幌《さっぽろ》で新品の自動車に乗って登別《のぼりべつ》へ行ったことがある。途中、オロフレ峠を越えた。蔓《つる》も樹《き》もそれもさまざまの種類の落葉植物が谷から色彩を噴きあげるように黄葉または紅葉していて、秋というのはこれほど華やかなものかと思った。

「えらいもんだよ、飛行機というのは」

と、同行の偉人は、自動車に乗りながら飛行機がいかにすばらしい乗物であるかを説いた。同行の偉人とは今東光《こんとうこう》氏のことである。私は当時新聞社員だった。このとき今氏と画家の故佐藤泰治氏の取材のお供で北海道へ出かけていたのである。今氏はこの時期よりほんの数年前にはじめて鶴《つる》のマークの日航機に乗った。鶴のマークは今家の紋所《もんどころ》で、今家の旧藩主家である津軽家の替紋《かえもん》の一つでもある。津軽家はその遠祖は今姓を名乗っていたこともあるから、紋所が共通しているというのはおそらく今家に

特別な由緒《ゆいしょ》があるのであろう。日本航空もよく似た紋だとなればひょっとすると日航は今家の分家かもしれず、

「だからきいてやったんだよ、お前」

と、氏は私にいうのである。氏は通路を歩いてスチュワーデスのそばまでゆき、この飛行機の紋所はなにかえ、俺《おれ》ンとこの紋所とおなじなんだが、なにかいわれでもおありかえ？　と質問した。日航にすればとんでもない言いがかりみたいなものだが、今氏の偉人たるゆえんはそういう無邪気さにある。スチュワーデスは慇懃《いんぎん》に、しかし不得要領に今氏になにやら応答したであろう。今氏はさらに通路を逆のほうへ歩いて機首のほうへゆき、操縦室へ入りこんだ。当時はハイジャックもなかったからわりあいそういうことができたようである。

「前から見ると、いい景色だなァ」

と氏はひとしきり操縦士の肩ごしに前方の天をみつつ讃嘆《さんたん》し、ついでに操縦士にも世間話をしかけた。操縦士も愛想《あいそ》のいい人だったらしく、いろいろ計器のことなどを説明したらしい。

「それでもお前、飛行機はずーっと飛んでやがるんだよ」

と、峠を自動車で走りながら、氏は飛行機というものは操縦士がたとえトイレに行

ってもそのまま飛んでいるものだという自動操縦装置の存在について私にるる教えた。

そういう話の最中に、乗っている自動車がとまってしまった。若い運転手があわてているらしく、あれこれ気ぜわしく動作をしているようだが、どうにも動かない。

今氏は好奇心の旺盛《おうせい》な人だから、客席から身をのりだしてその動作をながめている。

やがて、

「故障かい？」

と、きいた。むろん故障であった。

車は当時最も優美なスタイルだという評判のあった国産車である。新車だからそうやたらに故障するはずがないのだが、道路がひどい凸凹《でこぼこ》道で（いまはよくなっているだろうが）足まわりに故障がおこったらしく思われた。

「ジョイントが折れたんだよ」

と、私が運転手にいった診断を、今氏はいまでも記憶してくれているだろうか。エンジンに支障がなく、他《ほか》にも異常がないとすればそれしかないと思ったのだが、うれしいことに横にいた佐藤泰治画伯も同意してくれた。佐藤氏は兵隊のとき自動車隊で、しかも当時ルノーを愛用していて、いわば自動車の通だった。

運転手もそうだと思ったらしい。車外に出て車の下にもぐりこんでから、やっぱりそうでした、折れています、といった。その車は優美にできているだけに悪路むきのものではなく、クッションをやわらかくする目的でジョイントがたとえば手首の関節のように華奢《きやしや》で複雑につくられている。このため折れやすいのだ、と若い運転手はいった。

「おい、お前もまんざらでもないなぁ」

と、私に飛行機の自動操縦装置を解説してくれた今氏は、しかしちょっといかがわしそうな表情で私の機械知識を賞《ほ》めてくれた。私が機械知識でひとにほめられた唯一《ゆいいつ》の瞬間である。

太平洋戦争の最中、文科系の学生で満二十を過ぎている者はぜんぶ兵隊にとるということになって、私も兵隊にとられた。大阪の本籍地の区役所で徴兵検査をうけると、おどろいたことに甲種合格だった。甲種合格などは熊野灘《くまのなだ》でクジラでもとっているような筋骨隆々たる壮丁にのみあたえられる栄誉だと思っていたのだが、戦局も苛烈《かれつ》になって合格規準がよほどさげられていたものらしい。軍医の診断は一列にならんでいる行列の受ける。主として痔と花柳病《かりゆうびよう》の有無がしらべられるのである。ならんでいる行列の私私よりひとり前が、偶然小学校以来の友人のAであった。Aは非常な秀才で、気管支の弱そうな透きとおった皮膚をもち、美少女のような容貌《ようぼう》とシンの強さをもった少年——満二十歳に数カ月足りなかったという意味で——だった。ところがかれが国家の強制によって軍医にみせたその男性は、軍医が声をあげたほどいかつく堂々としていた。Aは第一乙種だった。第一乙種でもむろん兵隊にとられた。

兵科については、この検査後数日して通知がきたような記憶がある。私はAの家へ行って、どうだったときくと、かれは歩兵であった。かれは歩兵であることに満足していた。

しかし私の小さな通知書には「戦車手」と書かれていた。Aはその紙片をじっと見ていたが、やがて、

「戦車なら死ぬなぁ、百パーセントあかんなぁ」

と、気の毒そうにいって、顔をあげた。かれの父親は獣医将校だったから、多少は軍隊のことに通じていた。飛行機ならまだいい、戦車というのは戦場に出現すればかならず全滅する、というのである。のちに私は知ったのだが、Aのいうとおりだった。戦車は軍の先鋒《せんぽう》をひきうける兵種であり、その喧騒《けんそう》で巨大で鈍重な物体がひとたび敵の視野のなかに入るとき、敵はそのあたりの火力をぜんぶこれに集中し、これをまず潰《つぶ》すことに全力をあげる。その戦術的行動には飛行機のような自由さも華やかさもな

かった。じつに陰鬱《いんうつ》な乗物である上に、戦車兵の戦死の状況ほど気味のわるいものはなかった。たとえば敵の徹甲弾が戦車の横っ腹を打ちぬいたとしても、もう一方の横っ腹まで串刺《くしざ》しにする力はなく、車内できりきりとミキサーのように旋回するため乗員の肉も骨もこまぎれになり、遺体収容作業の場合はひときれずつ箸《はし》でつまんで外へ出さねばならない。年頃《としごろ》だけに死ぬことは苦にならなかったが、自分が挽肉《ひきにく》になるという想像は愉快なものではなかった。

挽肉のことを書こうとしているのではない。

機械のことを書くつもりだった。つまり私という当時の青年を多くの青年のなかからランダムに抽出するとして、いかに機械に無知だったかを書くつもりでいる。

私が、兵庫県加古川《かこがわ》の北の方の青野ヶ原にあった戦車第十九連隊に初年兵として入隊したとき、スパナという工具も知らなかった。車廠《しやしよう》という潤滑油の焦《こ》げたにおいのする戦車の格納庫で作業のまねごとをしたとき、古年兵が「スパナをもってこい」と命じた。足もとにそれがあったのにその名称がわからず、おろおろしていると、古年兵はその現物をとりあげ、私の頭を殴りつけた。頭蓋骨《ずがいこつ》が陥没するのではないかと思うほど痛かったが、なるほどこれがスパナかとばかばかしかった。こういう道具を自転車屋で見たことがあった。

「アメリカの青年はみな自動車の免許証をもっているぞ」

と、見当ちがいな叱《しか》り方でわれわれを叱った将校がいたが、冗談じゃない、こっちは自動車どころかスパナも知らずにやってきているんだ、これはわれわれの罪ではなくただアメリカのような工業の進んだ社会に属していないというだけのことではないか、とおもった。われわれ、学生であることを停止された初年兵は三百人いた。このうち二人ぐらいが自動車の免許証をもっていた。それも自宅に自動車があったからではなく、大学の自動車部でトラックの運転をしていた連中である。私のいたような小さな学校には自動車部というような金のかかる部はなかった。学校の門前は市電道路だったが、その大通りを通る荷駄《にだ》運搬車はおもに馬車で、トラックなどめったに通らなかった。当時日本の自動車工業の貧弱さは乗用車はダットサンしかなく、トラックはすべて外国製であるという現状だった。ただし陸軍だけが昭和十年代のはじめに国産の軍用トラックを開発してもっていた。自動貨車とよばれていた。この陸軍の自動貨車による輜重《しちょう》部隊がはじめてつくられたのは、たしか昭和十三年であったかと思う。満州で創設された。弾薬や食糧を運ぶためだが、それが実戦に登場するのがその翌年のノモンハン事件のときで、実際には死体運搬に役立つという不吉なスタートであった。ハイラルの兵站《へいたん》基地から前線へ弾薬を運んだあと、帰りは死体を満載するのである。死体は薪《まき》を積む要領で積みあげられた。ばかな関東軍参謀がいたずら心でひきおこしたこの局地的な対ソ戦は、世界戦史でもめずらしいほどの敗戦だったから、死体ばかりが生産された。作戦の基本的ミスだが、ミスというより日本の参謀将校というのは日露戦争の戦訓による戦術以外の戦術を学んでいなかった。信じられないことだが、本当のことである。

「来る日も来る日も死体運搬をした」

と、そのころ輜重隊の伍長《ごちょう》で、日本陸軍のかがやけるトラック運転手だった人が、その悽惨《せいさん》なかれの戦争についてつぶさに話してくれたことがある。死後硬直している死体を井桁《いげた》に積みあげる作業、輸送中死体がおどり出て落っことしてしまった話、ソ連の戦車に踏みつぶされた死体は破損がはなはだしいため取りあつかいがじつにむずかしかったという話、やがて無数の死体を運んでいるうちに、「毎日こんなに死体ができるようじゃ、関東軍で生きている兵隊がいなくなっちまうんじゃないか」という不安にとりつかれた話など、じつに陰気なはなしばかりをきかせてくれた。この人はいまはもう六十を越えているが、大阪で個人タクシーの運転手をしている。私は大阪の街に出ることはすくないが、それでも三度このひとの車に乗った。三度もおなじ運

転手にあたる偶然はめったにないそうで、

「大変な御縁だよ」

と、この歴戦の死体運搬人は親しみをこめていってくれた。かれは終戦のころは下士官の元老ともいうべき准尉《じゅんい》だったというから、准尉特有のあのふてぶてしい物言いがぬけきれない感じの人物だった。かれは軍隊に入る前、昭和十一年ごろにすでにトラックの運転助手だったという。免許証はあった。しかし運転手にはなかなか昇格できなかった。

「そのころの運転手というのはね、もう技師でね、なかなかあんた」

なれるもんじゃなかったよ、と陰鬱な調子で自慢したが、本当かどうか。「日本運転手史」という新分野を開拓する奇特な職能史の史家が出てきてくれればよくわかるのだが。すくなくとも私ども昭和十八年の学徒出陣で戦車隊に入れられた三百人ばかりの連中のなかで運転免許証をもっているのは数人にすぎなかったことだけはたしかで、これは日本文化史の重要な資料たりうる。さらにまた免許証をもっている連中に対して私たちがカッコイイと思うほどに日本の青年の機械民度が高くなかった。カッコイイどころか、クサリ鎌《がま》をふりまわす宍戸梅軒《ししどばいけん》を見るような、無気味な異能のもちぬしとしかおもえなかったのである。

私の母親は、シンガーの手動式ミシンをもっていた。だからその付属工具であるネジマワシは私は知っていた。しかし陸軍戦車隊ではこれをエッキラマワシとよんでいた。柄付螺廻《えつきらまわし》のことである。陸軍は海軍とちがい、英語と民間語を宗教的禁忌のようにきらう風があった。ミシンはホウセンキ（縫穿機だったかな?）であり、スリッパは上靴《じょうか》であり、ズボンは袴《こ》であり、物干しはブッカンバ（物干場）である。

アクセルのことを、噴射践板といった。クラッチは連動板であり、ハンドルは転把《てんぱ》である。

「噴射践板をもっと軟和に吹かせ。連動板をつなぐときにはいきなりつなぐな。すこしアソビを作ってあるからそれを利用してそっとつなげ。といってあまりそっとやると焼きつくから、その足加減を覚えろ」

といった調子の言葉が、助教の下士官の口から連発式に出てくる。ギアは複雑だった。メインのギアが四段階ある上に、高低というサブ・ギアがついているために、八段階もある勘定になる。ギアを入れ、クラッチをつなぎつつアクセルを踏むのは自動車とおなじだが、しかしいくら踏んでも練習中は車は前へゆかない。つまり架台という、模擬の操縦装置だけがついたブリキ（?）製の練習道具で練習させられるからである。

初年兵の練習のための本物の九七式中戦車は、五十人に一輛《りょう》きりしかなかった。その点、架台ならば油も要らないし、おおぜいが使えるし、いくら乱暴をしてもつぶれることはない。日本陸軍の事情から出た悲痛な発明品であったが、しかし畳の上の水練とおなじで、こういう道具でいくら練習しても実際の車がうごかせるはずがないのである。いまもしケチな自動車教習所があるとして、この架台を百台ばかりとりそろえて客をよびこむとすればどうであろう。これを一年やっても運転試験はパスしないにちがいない。

明治後の日本は無理にむりをかさねている。

海軍は日露戦争の直前には三等巡洋艦以下を国産化する能力をもっていたし、げんに何隻《せき》か造りもした。あの技術段階でよく造ったものだと感心するほかないが、それ以上の大型軍艦はその段階ではむりだった。とくに火砲（砲熕《ほうこう》）をつくる技術や、七千メートルのむこうからぶっぱなしてくる敵の主砲の徹甲弾をうけとめるだけの鋼板が、技術の伝統の浅い国ではむりだった。しかしやがて海軍はそれらを克服した。

陸軍が、昭和十四年のノモンハンで戦った主力戦車である「八九式中戦車」というものにとりかかったのは大正時代である。日本陸軍は日露戦争前から火砲や小銃を国産化していたが、戦車のような海軍なみの技術を要する近代兵器の国産化にとりくんだのはこれが最初であった。八九式中戦車は大正十四年に設計され、それが昭和十四年のノモンハンの草原に現われ出たときは、ソ連のBT《ベーテー》戦車に対してなすところを知らず、戦場に姿を露呈していること自体が悲劇的なほどに時代遅れの戦車になっていた。

B・T・ホワイト著湯浅謙三訳の「戦車および装甲車」という本は世界中のその種の車の絵図と初期の発達史が書かれているが、悲しいことに日本の八九式中戦車については一行ものせていないのである。ノモンハンであれほど悲劇的な最期《さいご》を遂げながら、その種の国際的な歴史からも黙殺された。もっともこの本は一九一八年までの戦車の原形段階での歴史が書かれているから八九式は時期的に入らないともいえる。

といってこの八九式は国辱的な？機械ではなかった。エンジンも操縦装置も優秀だったそうだが（私はこの戦車に乗ったことがない）しかし五七ミリの大砲が砲身がみじかすぎて敵に対する貫徹力がまったくなかった。それに鋼板が薄すぎ、敵の砲弾はどんどん貫いてくるのである。攻撃力も防御力もないというのは、戦車ではなくオモチャであった。もっとも姿だけは日本の源平合戦の甲冑《かつちゆう》武者のように当時の世界のどの戦車よりも堂々としていた。

この戦車は大正十四年に陸軍技術本部で設計され、昭和四年に大阪工廠《こうしょう》で試製車ができあがった。その試製車が東京から青森まで走って耐久力がテストされ、成績は上乗であった。

「大変いい格好をしている」

と、当時軍の首脳には好評だったらしい。たしかに姿は世界一で、日本陸軍の好みに適《あ》っていた。ついでながら八九という数字は昭和四年が神武暦の二五八九年にあたっていたからである。これを製造するために三菱《みつびし》重工が大井に戦車専門の工場をつくった。鋼板が難点で、当時の日本の技術では軟鋼板しかできなかった。青森まで走った試製車は小銃弾がやっとふせげる軟鋼板で、いわばチーズの戦車だった。ただ量産の段階で日本製鋼がちょうどニセコ鋼板というものを開発したからオモチャであることからまぬがれて実質上の戦車になった。しかし繰りかえしいうようだが、当時の日本の財政と工業技術からいえばじつに背伸びしきった贅沢品《ぜいたくひん》であった。しかも日本はこれだけの贅沢品をつくって、ノモンハンで大恥をかくのである。

「満州事変（昭和六年）では活躍した」

ということになっている。たしかに活躍した。久留米《くるめ》に設けられていた戦車隊が何台かこの戦車をもって行って満州で走った。ところが中国軍というのはろくに砲兵もなく、小銃と機関銃とせいぜい迫撃砲程度の火力だったから、この程度の戦車でも戦前の新聞が好んで使った表現である「鉄獅子《てつじし》」であった。満州事変は、大陸にいる蔣《しよう》介石《かいせき》軍が中共軍との対決のために動くことができなかった戦争で、その程度の相手に対して勝ったということが、日本の軍部を、いま思えば正気のひとびととは思えないほどの侵略的空想家集団にした。この空想家たちがやった満州事変が、第二次世界大戦へのひきがねになったことはいうまでもないが、さて八九式中戦車である。これがほんの何台かで満州を走りまわっているのを、関東軍は新聞の報道班員に写真をとらせた。この宣伝によって、

――日本にはこんな凄《すご》いのがあるのか。

と国民に錯覚させ、国民をも空想家に仕立てあげようとしたが、軍の首脳もおどろいた。信じかねることかもしれないが、陸軍の高級将校でも自国の戦車をみたことがないという人がいくらもいた。私と同年輩の士官学校出の正規将校は昭和十六年ぐらいの入校で終戦時は中尉《ちゆうい》か大尉ぐらいであったが、その戦争末期の正規将校でさえ終戦までついに日本の戦車を見たことがないというひとが多かった。戦車が日本の国力にはとても適わないためにそれほど台数がすくなかった。しかしそれだけに軍は大いに新聞を利用して戦車の写真をのせさせた。チャンバラ映画のエキストラのようなも

ので、生きかわり死にかわりして斬《き》られ役の人数を多くみせるようなものである。国民に対し、軍の力を大きくみせて侵略への大法螺《おおぼら》気分をあおるという瞞着《まんちゃく》のききめはたしかにあったが、専門家である軍の首脳自身まで日本陸軍は超一流だという錯覚（いまでもそう思っている人が多い）をだんだんもつようになったということを、いまこの文章だけで信じてもらえるだろうか。

おそらく信じてもらえないであろう。まさか専門家がそうであるはずがないという常識がいつの世にもあるからである。

国家に責任をもっている専門家とか、その専門家を信用する世間の常識というものほどあやうくもろいものはないということを、大日本帝国というのは国家と国民を噴火口にたたきおとすことによって体験した。日本の歴史のなかで、昭和初期の権力参加者や国民ほど愚劣なものはなかった。江戸文明は成熟した政治家や国民を生んだが、大正末期から昭和初期にかけて出現する高級軍人や高級官僚は飛躍的にひらけた国際社会のなかにあった日本の把握《はあく》や認識がまるで出来ず、幼児のようであった。歴史のふしぎさである。

常識ではとても理解できないような精神のもちぬしが、国中が冷静を欠いた状態にあるときには出てくるものである。また権力の実際的な中枢《ちゅうすう》にいる者（具体的には陸軍の参謀本部の少壮参謀）の頭も変になり、変にならねばその要職につくことができない。また要職につけばいっそう変にならねば部内の人気が得られないということで、あらゆる権力の分子たちの幻想が歴史の過熱期の熱板の上で相乗に相乗をかさねてゆくため、それが過ぎ去って歴史の中のお伽話《とぎばなし》になってしまったこんにちからみれば、あの当時の変な加減というのは狐狸《こり》妖怪《ようかい》が自分で自分をだましつつ踊りまわっているようで、冷静な後世の常識ではとうてい信じがたいことが多いのである。日本人の歴史は、敗戦によって一つ成熟した。右のような国家や社会をオモチャにした気違い気分は去ったが、それがまるで隔世遺伝のように最近になって学生運動の中に濃厚に出てきている。昭和初期の政治的軍人とそっくりの、つまり没常識・非論理のなかでこそ大閃光《だいせんこう》を発するという貧相で陰惨な、しかし、であればこそ民族的な深層心理に訴えやすいという日本的ファナティシズムが、学生運動の分裂のあげくに出てきているようである。

幻想と没常識のタイプも酷似しているし、他民族への（学生運動の場合は他の分派への）残忍さまでそっくりである。ある大学で慢性的につづいている他派への相互の残《ざん》虐《ぎやく》行為というのを最近くわしくきいたが、それはかつての日本軍が中国人に対して加えたそれとひどく似ているようにおもえて、暗然とした。日本人は地球から消えてしまえと思いたくなったほどだが、しかし昭和初期よりこんにちがめぐまれているのは、この土俗的ファナティシズムが政治権力と無関係の学園の構内だけで政治あそびとしておこなわれていることである。これらが市民社会になだれこんでくる事が珍事としてときにおこるにせよ、昭和初期(昭和二十年まで)のように権力を構成する連中が常住あの気分や調子になっているのではないためにわれわれはたすかるのである。

話が、逸《そ》れた。

戦車のことに話をもどす。

この変な車のことについては、せっかく自分がそれを体験したことだから、書くに値することだけは書いておく必要があるかもしれないとおもいつつ、なにもしていない。

兵庫県の不毛台地にあった右の戦車第十九連隊で初年兵教育を通過したあと、私どもは速成将校教育をうけるため満州へ送られた。私どもが満州へ去ったあと、戦車第十九連隊に動員令がくだり、フィリピンへ送られたが、途中輸送船が潜水艦に沈められてほとんど全員が死んだときいている。

満州の長春《ちようしゆん》(当時の新京)と瀋陽《しんよう》(当時は奉天《ほうてん》)のあいだに四平《しへい》(四平街)という土

地があり、そこに陸軍戦車学校があった。敷地面積の正確な資料がないが、百万坪以上あったようにおもわれる。校舎は赤レンガ造りの二階建で、満州の陸軍兵舎のすべてがそうであったように冬はペーチカで暖房されていた。訓練期間は八カ月で、ここでは四人に一台のわりあいで戦車が持たされた。

この戦車の型は、初年兵のときの戦車もそうであったが、ノモンハン以後の日本の主力戦車である九七式中戦車であった。略称をチハ車《しゃ》といった。

この戦車は、もし戦争に参加しないとすれば、皮肉ではなく同時代の世界で最優秀の機械であったようで、戦後の評価もそうなっているらしい。他の国の戦車のようなガソリン・エンジンでは火焔《かえん》ビンを投げつけられれば簡単に燃えるために、ディーゼル・エンジンを採用したところに新味があった。そのディーゼル・エンジンもふつう水冷式なら外に既存のものがたくさんあって真似《まね》するのに便利なのだが、しかしこの戦車は水のない満蒙《まんもう》国境の草原を仮想戦場にしていたためにとくに空冷式が開発された。とくにディーゼルの心臓部ともいうべき噴射ポンプは世界の水準をはるかに越えていたようで、戦後の日本のディーゼル・トラックの栄光ある元祖になった。

スタイルも、八九式が、ちょうど五頭身で出《で》っ尻《ちり》のおばさんが一反風呂敷《いったんぶろしき》の荷物を背負って山坂を歩いているようなかっこうだったが、チハ車は草むらの獲物をねらう猟犬のようにしなやかで、車高がひくく、その点でも当時の陸軍の技術家の能力は高く評価できる。

ただこの戦車の最大の欠陥は、戦争ができないことであった。敵の戦車に対する防御力も攻撃力もないにひとしかった。防御力と攻撃力がない車を戦車とはいえないという点では先代の八九式と同様で、鋼板がとびきり薄く、大砲が八九式の五七ミリ搭《とう》載砲《さいほう》をすこし改良しただけの、初速の遅い（つまり砲身のみじかい）従って貫徹力のにぶい砲であった。チハ車は昭和十二年に完成し、同十五年ごろには各連隊に配給されたが、同時期のどの国の戦車と戦車戦を演じてもかならず負ける戦車であった。

陸軍の技術本部は技術の専門家だけに世界中の戦車を知っており、もっと長大な砲を積み、もっとつよい防御力をもたなければ戦車を持つにあたいしないと考え、いろんな設計を参謀本部に持って行ったのだが、参謀本部の思想は、

「戦車であればいいじゃないか。防御鋼板の薄さは大和魂でおぎなう。それに薄ければ機動力もある（厚くて機動力をもつのが戦車の原則）。砲の力がよわいというが、敵の歩兵や砲兵に対しては有効ではないか（実際は敵の歩兵や砲兵を敵の戦車が守っている、その戦車をつぶすために戦車が要る、という近代戦の構造をまったく知らなかったか、知らないふりをしていた。戦車出身の参謀本部の幹部は一人もいなかったから、知らなかっ

たというほうが、本当らしい)」

「陸軍の技術者は、兵科の将校の鼻息に吹っとんでしまうような存在だったんですよ」

と、戦後、私に参謀をつとめたことのある兵科の少佐がいったことがある。技術将校が硬論を吐くとすぐ飛ばされた。兵科将校のいうことにご無理ごもっともという出入り商人的な技術将校だけが出世を約束されるという仕組みになっていた、という。

政治好きで気違いそのままの政治的空想をもった陸軍軍人は、参謀本部にあつまっていた。日本は超一流の軍事国家だと思っているこの連中が、この戦車を決めたのである。どういう心理的事情によるのか、かれらの特徴は、兵器を開発するときに世界の水準よりもやや弱力なものをえらぶということだった。砲兵の兵器もそうであり、すべてがそうで、馬鹿《ばか》強力なものはつくらないという暗黙の思想があった。国際的な兵器水準に自発的に遠慮をし、日本の機械力による攻撃力は卑小でいい、という癖がずっとあったことは記憶されていい。むろんそれでわるくはなかった。戦前の日本が専守防御の非侵略国家でゆくという建前ならばである。ところが手のつけようのない侵略妄想《もうそう》のこの権力集団が、いざ兵器となると、技術本部をおどしあげてまで自己の卑小をまもりつづけたのは、財政の窮屈さという束縛があったからだというものではなく、もともとこの権力集団がいかに気が小さく、貧乏くさく、「国際的水準」というまぶしい白日の下の比較市場に自己を曝《さら》しだすことがおそろしく、むしろ極東の僻《へき》隅《ぐう》で卑小な兵器をこそこそと作ってそれをおもおもしく「軍事機密」にして世界に知られないようにするという才覚のほうへ逃げこんだと見るほうが、当時の日本国家の指導者心理を見る上であたっているようにおもえる。この世界最弱のチハ車は、誕生からその終末まで滑稽《こっけい》なことにもっとも重要な軍事機密であった。「知られると日本のあらがわかって、相手をのさばらせる」という意味での軍事機密で、こういう、自分の台所のまずしさを秘密にして御近所にホラばかり吹いてまわるという女の腐ったような軍事機密は昭和初期の日本陸軍の特徴のひとつであった。ヒステリーが女に多い精神体質だとすれば、政治的ヒステリーだったあの集団は、ひょっとすると女だったのかもしれない。すくなくとも政治的ヒステリーというのは現実直視を怖《おそ》れる女性的性格のもちぬしに多いところからいえば、かれらは女くさいひとびとだったのかもしれなかった。ともかく、大根を敵戦車に投げる程度の力しかなかったチハ車は日本陸軍で最重要の軍事機密だった。

昭和十四年のノモンハン事件では、さきにふれたように五頭身で短砲身の八九式が戦場にゆらぎ出た。もっとも二年前に出来あがったばかりのチハ車も、少数ながら出た。小隊長（四台の長）や中隊長（二十台の長）の車としてであった。いずれにせよ、絶対数が足りなかった。これらに対して雲霞《うんか》のごとくという軍記物的表現をつかいたいほどにソ連のBT《ベーテー》戦車がたくさん出てきた。BT戦車は口径わずか三七ミリの砲しか積んでいない。日本は口径が二まわりも大きく、五七ミリである。が、BT戦車の三七ミリ砲は長い砲身をもっていたため初速が迅《はや》く、従って貫徹力がすごかった。日本の五七ミリは砲身がとびきりみじかく初速遅く貫徹力がにぶいため、一分間に十五発撃てるという能力をもちながら撃てども撃てども小柄《こがら》なBT戦車の鋼板にカスリ傷もあたえることができなかった。逆に日本の八九戦車はBT戦車の小さくて素早い砲弾のために一発で仕止められた。またたくまに戦場に八九戦車の鉄の死骸《しがい》がるいるいと横たわった。戦闘というより一方的虐殺であった。こういうばかばかしい戦闘を現場でやらせられた中隊長のうち生き残った者の二人だったか三人だったかが発狂し、静岡の精神病院に送られた。この攻撃力皆無の格好だけの戦車にのせられて味方は全滅、敵は全勝という機械対機械の現場の指揮をやらされれば、有能な指揮官ほど発狂するであろう。

この敗戦で日本はあわててチハ車の車体に四七ミリの長い砲をつけて世界なみにした。その改造さえ太平洋戦争の終了までのあいだに十台に一台ほどがそのようになされたにすぎなかった。日本が四七ミリをつけてほっと一息ついたときは悲惨なことに世界の中戦車の砲の標準は七五ミリという野砲なみのものになっていた。つねに追いつかなかった。日本人は日常生活の習慣に浪費的なものが多かったわりに（高級軍人と待合がつきものだったように）かんじんの要るものをケチケチと小出しにする習性が、江戸時代以来、しみついたものになっていた。兵力を使うばあいもどっと集中させず（それが古今の戦術の鉄則だが）小出しに出してそのつど敵にたたかれるという癖が日露戦争の陸戦指導にもあらわれているが、その性癖は造兵面にもあって、戦車の攻撃力（火砲）の威力増大をはかる場合にも小出しに口径をふやし、つねに国際水準より劣っていた。劣っているというのは戦車の場合、そういうものはいっそ造らないほうがましで、全敗しかなく、そうであるのに造ることは息せき切って造った。「自分も持っている」という、ダイヤモンドをほしがる日本の主婦とおなじである。宝石の永久後進国である日本にいいダイヤモンドが来るはずがなく、しかもダイヤはつねに国際的評価の場に曝《さら》されているもので悪《あ》しきダイヤなど持っても仕方がないのに、「ともかくもこれはダイヤなのです」という自己満足だけでそれをもつという可憐《かれん》さに似ている。

私は満州の四平の戦車学校の校庭に置いてあったBT戦車という、日本の戦車兵にとって恨みのふかい戦車をしみじみ見たことがある。日本の八九式やチハ車よりもちっぽけであることにまずおどろいた。それに全体の造りが、大量生産をしなければならないせいかひどく粗雑で、鉄板をばたばた張りつけただけのようで、操縦装置などもまったくそっけなく、チハ車よりもはるかに安っぽかった。しかし格好よりもBT戦車は勝つように出来ていた。砲と鋼板だけがしっかりしていた。この車に男性の乾いた計算能力というか、大げさにいえばヨーロッパ的な合理精神のようなものを感じて、必勝の精神などという女くさいことばかりをいう日本の軍隊の変態性につくづくうたがいを感じた。日露戦争の指導者たちはロシア人よりもはるかに乾いた男性的計算能力をもっていたし、戦国の武将たちもそうであったから、日本人の歴史からみれば昭和日本の指導者がほんの一時的に変種なのかもしれないと思った。

日本の戦車の歴史は、日本人のある面を象徴するかのように悲惨である。

ビルマ作戦においては、中戦車であるチハ車が、アメリカ軍の軽戦車であるM3式にとても歯が立たなかった。M3式の搭載砲《とうさいほう》は三七ミリ口径でしかなかったが、日本の中戦車に対しては物凄《ものすご》い威力を発揮した。

しかしひるがえってもしこれらが娯楽用の乗用車であったとすればどうであろう。M3軽戦車などとても不格好で売りものにならないにちがいない。BT戦車は論外の粗製車である。第二次大戦中のアメリカ軍の主力戦車だったM4中戦車は武骨すぎて好みが偏《かたよ》るにちがいなく、そこへゆくと優美さと威厳を融合させた日本のチハ車などは多くの人の好みに適《あ》うにちがいない。ただ戦車としては戦争のできない戦車だといろう、世界唯一《ゆいいつ》の珍車であったことだけが残念だったような、しかし平和日本の価値観からいえばそれがかえってノーベル平和賞モノだったかもしれないような、あるいは昭和日本の精神と能力とアホラシサをあらわす象徴的存在ということで歴史的価値をもつような、そういうえたいの知れぬものなのである。

この稿は小説雑誌に書いている。だから多少の文学的話題性をくっつけると、四平の陸軍戦車学校で私とおなじ戦車をうけもっていた四人のうちのひとりに、東京大学美術史学科を中途で兵隊にとられてきた作家の石濱恒夫《いしはまつねお》がいたし、その隣の戦車の四人のひとりに、早稲田《わせだ》の仏文学科を中途にしてとられた劇作家の山田隆之がいた。作曲家の吉田矢健治もいた。吉田矢はのち華北でずいぶんやられてしまいには徒歩兵になったそうである。

かつて丹波《たんば》路のふるくは鯖《さば》街道といった山里に行ったとき、その時代の友人の寺に泊めてもらった。寺は曹洞禅《そうとうぜん》の寺で、小さな客間に道元禅師の線描の画像が茶掛《ちゃがけ》風にしてかけられていた。複製らしいが、じつにいい肖像画で、道元という大天才の一歩ちがえば気の狂うようなきびしさが、水墨画ながらプラチナの針金のように簡素できらきらする線によってよくあらわされていた。

かれは駒沢《こまざわ》大学の途中で兵隊にとられ、戦車学校を出たあと、中国に行った。終戦のときは小さな町の守備隊長で、自分の戦車四台のほかに少数の歩兵の指揮もしていた。

終戦になると、共産軍と国府軍の内戦がはじまったが、かれのもとに両軍の使者がかわるがわるやってきて、「ぜひわが側にあなたの戦車を渡してほしい」と慇懃《いんぎん》な態度で交渉してきた。かれは「自分のほうではどちらに兵器をひきわたしていいかわからないから、あなたがたのほうで決めてくれ」と返答した。そのあと、交戦によってそれを決したのか、それとも他の方法によったのか、国府軍がひきとりにきた。

「この戦車の構造や操縦法を教えてくれ」

と、使者は要請した。このために国府軍は秀才の将校や下士官を選抜して、かれの生徒にした。かれは懸命に教えた。

エンジンの構造や機能はごく単純な力学的なものだから、かれら秀才たちはよく理解した。

しかし電気系統になると、電気が目に見えないものだけにいくら教えてもついに理解してもらえなかったという。かれも駒沢大学という曹洞禅の学校の出だから電気というこのややこしいものがわかるはずがないのだが、しかしわかっているような錯覚がある。

つまり電気学としてわかっているのではなく、社会的に理解しているのである。日本なら町内に何軒か電気器具屋や電気工事屋があり、それらの主人がかれよりとくにすぐれた頭脳のもちぬしであるはずがないから、「あのオッサンでもやっている」という社会認識としての電気というものが、かれをしてたかをくらせているのである。

その点、国府軍の秀才たちは、大陸の社会に当時は電気というものがゆきわたっていなかったから、電気を巨大な学問として理解しようとしたために不可解だったのであろう。大げさにいえば、江戸期の「蘭学事始《らんがくことはじめ》」である。

「中国もこれから大変だよ」

と、かれはいった。私も、スパナという名称さえ知らない青年として機械の軍隊に入れられたが、しかし知らなくても町内の自転車屋のおやじや自動車屋の兄ちゃんなどが似たようなことをやっていたというたかのくりかたがあって、わからないままわかった気になることができた。

まわりに、そういう機械文明のカケラが、日本の環境では中国よりもはるかに多くみちみちていた。私は満州にいたとき、演習などに出かける場合に、通訳のまねごとのようなことをさせられた。満州の農村はどこでも牧歌的な風景をもっていた。若い農夫がよく戦車のそばにあつまってきた。かれらは戦車のことを、

「電車《テイエン・チヨ》」

とよんでいた。たとえば「あんたはこの電車の人か」という。私はいつも気になって、「いや、これは電車ではなく戦車だ」とくりかえし説明するのだが、しかしみなニタニタ笑うだけで理解してくれなかった。なぜならわが愛すべき中国人たちは電車という現物さえ見たことがないのである。であるから、電車と戦車の区別のつけようがなかったのである。

こういうアジアの中で、日本だけが明治後工業国になり、昭和前期には「列強」たることの象徴である戦車を生産し、はるかなる欧米をむこうにまわして砲の大きさを

競い、鋼材の厚さを競い、その背くらべにことごとく敗れた。しかし電車や電気から程遠いアジアでは鳥なき里のコウモリのように威張ることができた。むろん永つづきはしなかった。理由は、金も資源もないのにただ一個の強烈な幻想だけで海軍は英米二国と比肩《ひけん》しようとし、陸軍はソ連と比肩しようとしたからで、世界史上、これほどすさまじい背伸びをした国家はなかった。日本の戦車という、この戦争機械の面においても、日本人の惨澹《さんたん》たるもだえと優秀さと変に雄大?なところと浅はかさとがよくあらわれている。

ついでながら私は戦後、自動車というものを自分で運転しようとおもったことがないし、むろんしたこともない。自動車とのじかの縁は、たまにタクシーに乗ることと、歩行者として一度運転未熟のライトバンにはねられたことがあるだけである。噴射践板や連動板や転把《てんぱ》といったふうのあんな奇怪なものに二度と手足を舞わすような作業とかかわりを持とうとは思わない。

戦車の壁の中で

多少騎虎《きこ》のいきおいということもあって、戦車のことをつづける。

弁解がましいようだが、私は自分自身の身辺や経歴についてまったく話題価値が感じられないたちで、このことは私がもし作家だとすれば致命的な欠陥かもしれないとおもっている。

しかしすでに前稿で、私の過去に属している「戦車」というものについて書いてしまった。戦車は私にとって好奇心の対象になりうる他人ではなく、怨念《おんねん》がこもっているという意味で自分に属する物体だからじつに書きづらかった。とはいえこれはやはりすこしでも書いておいたほうがいいかもしれないとおもってこの稿の主題も、それにする。日本の近代において三八式歩兵銃や軍艦や飛行機が嚙《か》みこんだ位置や課題については多くの書かれたものがあるし、また体験者のはなしもあり、すぐれた虚構もある。戦車と戦車兵についてはあわれにもほんのすこししかないのである。そういう意味では多少の足しになるかもしれない。

まず鋼板について。

このことはかつて書いたことがあるが、私どもが兵庫県加古川の戦車第十九連隊で初年兵教育をうけたとき、教官が、

「砲塔をヤスリで削ってみろ」

というので、砲塔のふちにヤスリをあて、力まかせに前後運動をくりかえしてみたが、ヤスリの目はカラカラところがるばかりで、鋼板に毛ほどの傷をつけることもできなかった。戦車ならば当然とはいえ、海軍とちがって装甲板を研究したり開発したりする必要がなかった陸軍としては、上乗の出来の鋼板であった。この戦車は、昭和十三年製のチハ車（九七式中戦車）で、終戦までの日本の主力戦車である。ところが終戦のまぎわに、砲塔のでっかい変な戦車が数輛《りよう》配給されてきた。三式中戦車（チヌ車）と称せられたもので、アメリカのシャーマン戦車の七五ミリ砲に対抗すべく急造された。その大きな砲塔には九〇《きゆうまる》式野砲（七五ミリ）がつけられていて、頭デッカチではあるが一見心丈夫な外観をもっている。しかしよくみるとかんじんの車体がチハ車のままであった。モデル・チェンジする生産能力がすでになくなってい

たため、旧式戦車のままの車体に新式の巨大な砲塔をどっかりのっけたのである。この変な戦車が数輛配給されたとき、私の連隊（戦車第一連隊）は満州をひきはらって、本土決戦のために群馬県前橋のあたりの相馬ヶ原に一時駐屯《ちゅうとん》していたころであった。あたらしい戦車がきたというので見にゆくと、廠舎《しょうしゃ》の松の木のそばにそれがうずくまっていた。まわりに何人かの将校や下士官がとりまいていたが、たれもが暗然とした顔をしていた。戦車の生命のひとつは防御力である。防御力があってこそ、機動力も攻撃力も発揮できるのだが、旧式戦車の薄っぺらい車体では、敵の戦車と見《まみ》えたときに一発でやられるだろう。むろんこちらがさきに敵をみつけ、敵よりも数秒でもさきに発射すれば、この七五ミリ砲弾なら敵戦車をつらぬくことができる。しかし敵の一輛を仕止めても敵には僚車がいる。その僚車にずどんと貫かれてしまうにちがいなく、じつに儚《はかな》い感じがした。

私はそのモザイク戦車のなかに入って、砲塔をうごかしてみた。それまでの日本のどの戦車も、砲塔は砲手（立姿）の右についている手動式のハンドルで旋回させることになっていた。砲手は身をかがめて砲の眼鏡（倍率二倍）をのぞきこみつつ、目標を眼鏡の目モリにあわせてゆく。砲の上下は肩でやれる。左右は砲塔そのものをまわしてやる。目モリに目標が入ったとき、ピストル式の引きがねで発射する。砲弾がとび出すと同時に砲尾の鎖栓《させん》がガチャンとひらき、カラの薬莢《やっきょう》がとびだし、車内にころがる。この場合の砲塔の旋回は手動式ハンドルだと手加減だけにじつに微妙な操作ができるのだが、ところがこの三式中戦車は砲塔がでっかすぎるために電動式になっているのである。手動のように軽快にうごかず、目モリにあわせていると、微妙なあたりでくるりと行きすぎたり、行き足りなかったりした。チハ車の五七ミリ砲は熟練すれば一分間に十五発という速射能力をもっているのだが、このモザイク戦車の砲塔ではそうは早く撃てそうになく、結局は巨大砲塔を動かすために最初からそういう機能でつくられているアメリカ軍の戦車に先制をされそうであった。

操縦席に入りこんでひざに新品のベルトを締め、始動電動機《セル・モーター》のボタンを押してみた。私はこのころ形ばかりは四輛の長だったが、操縦はとびきり下手《へた》で、始動がとくにが手だった。車体がチハ車だから、当然ながら操縦装置もエンジンもチハ車そのままである。

チハ車のディーゼル・エンジンは日本の技術史上の傑作といわれているが、しかし当時のディーゼル・エンジンの宿命的欠点は始動が困難ということであった。ディーゼルのエンジンはガソリンのそれとはちがい、点火で爆発させるような軽便さがない。

シリンダーの中のピストンがぐっと下降してきてその圧力によって空気が圧縮され、熱を帯びる。その空気の圧縮熱が五〇〇度に達したとき、噴霧状になった軽油がしゅっと吹きこまれて爆発がおこる。その爆発を回転に変えてエンジンがうごきだすのだが、なにしろガソリン・エンジンのような、つまりシリンダーの中に霧化されたガソリンが入ってきてそれへ点火プラグがパチパチと火花を発して爆発させるような便利なものではディーゼルはないのである。

なにしろガソリン・エンジンとは異なり、空気の圧縮熱を利用するというひどくまわりくどい原理であるため、エンジンの図体《ずうたい》がばかばかしいほどに大きいのである。この重いエンジンを、始動の場合、ちっぽけな始動電動機でまわすのだから、大変な仕組みである。

操縦席の前に始動ボタンがついている。それを押すと、後部の始動電動機が作動し、そこから砲金製(?)の歯車がとびだす。その歯車がエンジンのメス歯車にかみこんで、それでもってエンジンをゆるゆるまわしてピストンを上下させやがてシリンダー内に〝圧縮熱〟をつくりだして爆発を待つのだが、この〝爆発〟の期待がしばしば外れる。何度もやりなおすうちに、蓄電池《バッテリー》があがってしまって、戦車そのものが動かざる機械になってしまう。冬などは大変であった。満州の零下何十度という季節になると、あすは出てゆくという前夜に、戦車の腹の下に木炭火鉢《ひばち》を入れて一晩中エンジンを温めておかねばいざというときにエンジンがかからなくなるのである。

たとえエンジンがうまく爆発しても、私のような無器用な人間がやると、エンジンが回転しはじめているのにまだ始動ボタンを押しっぱなしにしていて、そのために嚙《か》みこんでいる砲金製の飛び出し歯車が、回転するエンジンのためにこなごなに粉砕されて坊主《ぼうず》になってしまうのである。

いまさら嗟嘆《さたん》しておもうことだが、なんと日本の戦車は不自由な車であったことであろう。他の国の場合なら、いわばもっとザツである。ガソリンの航空機エンジンをどんと持ってきてそれを装甲でかこみ、そこへ砲塔をのせればしまいというものであった。ただガソリン・エンジンだから火によわく砲弾か火焰《かえん》ビンをくらえばすぐ燃えあがるという欠点はあるのだが、しかし軽便な装置で高馬力が得られ、始動も簡単で、生産面からいっても戦車用のエンジンをわざわざ作らなくてもありあわせの航空エンジンで済むために量産にも便利という基本的な有利さをもっている。

ところが旧日本陸軍のおもしろさは、その安易な方法をえらばなかったところにある。陸軍の思考法はまだ武士気質《かたぎ》がのこっていた日露戦争までは簡明直截《ちょくせつ》で、つねに実用性を重んじ、当時世界有数の秀才将軍といわれたクロパトキンを満州の野でやぶった。であるのに、昭和期になって指導部に秀才の層が厚くなると、物の考え方が、政治や外交の面でもそうだが、抽象的思考を好み、形而上的《けいじじよう》ポーズにあこがれ、諸事現実離れしてきた。軍人の文章が変にツルツルして気はずかしいほどに形容詞が多く、実感がまるで抜けたようなもの（いまの反戦グループの諸君の文章とそっくりである）になってゆくのは、やはり昭和初年からとおもえるから、なにか民族とか歴史とかといった基本的な体質と関係があるのかもしれない。

ロシアの場合、帝政末期の西欧的自由主義傾向の軍人・官僚にはそういう傾向があったといわれているが、昭和十年代初期のロシア人には、すくなくともロシアが当時開発量産したBT《ベーテー》戦車をみるかぎりそれはなさそうにおもえる。この戦車はソ連の独創によるものではない。アメリカ人クリスティという車輛《しやりよう》の発明きちがいが個人的に高速度戦車を試製してもっていた。アメリカ陸軍がそれを買いあげなかったため腐りものになりかけていたのをソ連が目をつけ、見本を買いあげ、BT戦車をつくった。その後独ソ戦で活躍するT34戦車にいたるまでのソ連型戦車は、このクリスティというアメリカおじさんの私製戦車が母胎になっている。そういう点、ロシア人はじつに無造作なまねをするらしい。たとえば大正以降の日本の軍艦が独創性に富む部分が多かったのに対し、日露戦争のころのロシア海軍は、クロンスタット軍港にりっぱな造船造機施設をもっているにもかかわらず多くは外国から購入し、たとえクロンスタットの船渠《ドック》で自国製の軍艦をつくってもフランスその他の国の軍艦をそっくりそのままねたものが多く、それらは艦型がまちまちで姉妹艦の協同運動ができず、なにやかやで対馬《つしま》沖でみな沈んでしまった。要するにロシア人にとって人真似《ひとまね》をすることは、よく世界中からそれをいわれる日本人ほどには気に病まないもののようにおもわれる。

さて（この話はどこまで飛ぶのだろう）ノモンハンの戦場に大量にあらわれて日本の八九式中戦車（チハ車以前の型）をたたきつぶすBT戦車は、要するにクリスティ戦車であった。その原型を量産にむくようにすこし変えた程度のもので、鋼板をぱんぱんと貼《は》りつけて、イワシのカンヅメのような砲塔をくっつけただけのものであった。日本の歩兵が肉薄攻撃してガソリン瓶《びん》を投げつけると、ガソリン・エンジンであるために簡単に燃えあがった。ところがこのBT戦車がつぎに戦場にあらわれたときは、お尻《しり》の機関部の外側に鳥カゴをかぶせたようにして金網を張っていたのである。このため日本歩兵が命がけで投げつけるガソリン瓶は、この金網にはねかえされて効果を発揮しなかった。歩兵たちは容赦なく蹂躙《じゅうりん》された。

つまり、戦車におけるガソリン・エンジンの欠点というのはこの程度の現実的な工夫で解消できるのである。

しかし昭和前期の日本陸軍の秀才官僚たちの思考法は、複雑で晦渋《かいじゅう》であった。ガソリン・エンジンのすべての長所よりも、燃えやすいという小さな欠点に全思考がとらわれてしまい、その解消のために、軽便性を欠く上に値段の高い空冷式ディーゼル・エンジンというとほうもないものを採用してその欠点の上に装甲板をかぶせたのである。しかも日本は貧乏国であるという要素が思考を牽制《けんせい》し、このエンジンの馬力をたった一七〇馬力に節約した。ディーゼル・エンジンの最大の長所は力が強いというところにあるのだが、その長所をけちってしまっては、欠点だけの戦車になってしまう。たとえチハ車が機械として技術史上誇るべきものであったとしても（たしかにそうだが）兵器としてはどうにもならないのである。これは技術部門の責任ではなく、要求を出した兵科部門の責任で、いかにも料簡《りようけん》がせまくてチマチマと複雑な思考を好む秀才軍人の作品らしい。

ところで、私が始動をはじめた七五ミリの長い砲身を砲塔からつき出している三式戦車は、くりかえしいうようだが、車体だけはチハ車のものなのである。

幸いエンジンはかかったが、クラッチをつないでいざ動こうとすると、背後のエンジンがカスカスと絶え入るような息吹《いぶ》きを洩《も》らしてとまってしまった。エンストである。

「お前にはむりだよ」

と、天蓋《てんがい》からのぞきこんでいる士官学校出の正規将校である中尉が笑った。嘲笑《ちょうしょう》しているのではなく、現実にそのとおりで、私の操縦下手はどうも定評があり、自分でもみとめていた。もっとも戦車の操縦は将校自身がするわけではなかったから、職務にいちじるしくさしつかえるというわけではない。私は始動しなおしては、動かしてみた。そのつど、この新品戦車はエンストするのである。

その中尉と交代した。

かれはヘルメットをかぶり、操縦席に入った。やはり二、三度エンストした。しかしさすがに士官学校というたくさん訓練用燃料をつかう学校で稽古《けいこ》しただけあって、こつのみこみが早く、やがて成功した。車はやっと動き出した。しかしこんなばかな話はないではないか。操縦装置がチハ車とおなじなのにチハ車のようには気楽に動いてくれないのである。

チハ車でも気楽ではなかった。たった一七〇馬力というけちな馬力で一五・三トンの図体をうごかすのだから操縦に熟練の要る車なのである。三式はその車体に野砲の砲熕《ほうこう》を保持するための大きな砲塔をくっつけたために、自重が一八トンになっている。出力がすこしふえて二四〇馬力になっていたが、それでもなにやらむりで、ちょっとこの比喩《ひゆ》は正確でないかもしれないがダンプカーに軽自動車のエンジンをつけたような感じがないでもなく、要するに操縦者の程度の高い能力が要求されるのである。諸事、道具というのは使用者の操作上の練度を必要としないのが理想であるべきで、これが家庭用電器製品ならきっと返品の山をきずくにちがいない。

この三式戦車を特徴づけるその大きな砲塔をヤスリでけずってみようと思ったのである。なぜそんな気をおこしたのか、正確には思いだせないが、なにかいかがわしさを感じたのかもしれない。あるいは初年兵のとき、力まかせにヤスリをおさえこんで前後運動をくりかえしても、ヤスリはむなしくカラカラとすべるだけというあのすばらしい硬質感をもう一度味わいたかったのかもしれない。私は砲塔のふちにヤスリをあててうごかしてみた。ところが砲塔の鋼《はがね》はざらりとヤスリの目を受けとめたのである。かすかながらギシギシと手応《てごた》えがして、おどろいて手をとめてその部分をながめてみると、白銀色の削り傷ができていた。こんなばかな話はなかった。腐っても戦車ではないか。

このことは、私個人の太平洋戦史にとって、もっとも重要な事実のひとつである。その装甲の厚さをチハ車の砲塔と比較すると、チハ車の砲塔の前面が二五ミリにすぎないのに対し、五〇ミリというたっぷりした厚さであった。その厚さは世界の水準にはおよばないとはいえ、日本の戦車としては思いきった厚さである。それが装甲用の特殊鋼でもなんでもなく、ただの鉄にすぎなかったのである。ただの鉄という戦車は、戦車の歴史で例がなく、昭和の陸軍首脳がいかに戦争指導能力に欠けていたかを証拠だてている。

このあたりをすこし詳しくのべる。

この変な戦車が生産されたのは昭和十九年で、軍が三菱重工（鋼板や砲をのぞく）に命じた。ただし資材不足のため六十輛生産されたにすぎず、決戦用として本土内の戦車連隊にすこしずつ配給された。そのうちの一輛を私はみたのである。

これより前、日本の生産状況が窮迫していて戦車の生産は中断されており、設備も資材も航空機の増産にむけられているということは私どもは知っていた。だから私どもは昭和十四年のノモンハン以後に行き渡ったチハ車をもってアメリカの戦車と戦うつもりでいた。海軍でいえば三等巡洋艦が戦艦と対抗するようなものでありうべからざることであり、常識離れというより浮世離れした感覚なのだが、日本陸軍はどういうわけか日露戦争がおわってから異常心理におち入り、敵と等質の兵器で戦うという思想をかけらももたなくなっていたのである。その日本陸軍に属しているかぎり、当時の私はあたえられたチハ車でやるつもりだったし、チハ車に乗って敵戦車に一矢《いっし》もむくいることなく無意味に死ぬつもりでいた。

ただ戦車が故障した場合、「愛車と運命を共にすべし」という、戦車をもって乗員のカンオケたらしめる日本の戦車兵独特のモラルなど守る気は毛頭なかった。こんな厄介《やっかい》な荷物などさっさと捨てて、歩兵同然の斬込《きりこ》み隊になって敵の兵士の小指一本にでもかじりつくほうが、効力皆無の戦車でゆくより戦士としての多少の存在理由を見《み》出《いだ》しうると考えていた。

たまたまそのころ私はおかしな教育を命ぜられていた。夜間の敵陣地潜入法（徒歩兵としての）というもので、当の私は夜間潜入法どころか昼間に街を歩いていても方角をまちがうのに、私のような者に教育されていた兵隊たちはどういう気でいたろうと思うと、気の毒になる。

このくだりの余談なのだが、戦車部隊というのは飛行隊と同様、幹部搭乗主義で、将校と下士官しか乗らない。兵長以下の兵隊は、平素整備その他の雑用に任じ、戦闘中は後方で待機しているのである。しかし本土決戦ともなればそういう徒歩兵も戦闘に参加せしむべく、これに夜間潜入法を教えたのである。

夜間、松林に兵をあつめて、松の幹に道しるべのための白い紙を貼っておく。闇夜《やみよ》だとそういう紙が見えないのだが、しかし訓練によっては多少見えるようになる。その方法は、見ようとする物体（たとえば白い紙）そのものを見ずにその上辺か、左右に視点をあててじっとみていると、ぼんやりと目のはしに白い紙がうかんでくるという忍者じみたやりかたで、これを末期の陸軍では「周辺視」とよんでいた。そういう訓練方法を書いた小冊子が中隊にとどくたびに私が読み、にわか勉強でもって兵隊に教えるのである。

そういうことがあったから、もし戦車が故障した場合、砲塔からとび出して周辺視で行ってやれとひそかに考えていた。戦車のなかには携帯兵器として三八式騎兵銃（これはじつにいい小銃だった）一梃《ちょう》のほかに、乗員個々が十四年式拳銃《けんじゅう》をもっていた。ちなみに十四年式とは昭和十四年でなく大正十四年式のことである。それに戦車には七・七ミリ口径の車載重機が二梃装備されていた。それをはずして携帯しても、徒歩兵の兵器としては十分有効である。

このような、七五ミリの野砲を積んでいるというだけがりっぱな、しかし実体は徹甲弾をふせぐことの不可能な鉄製砲塔の戦車をなぜ末期陸軍はつくったのであろう。まったく金と資材の無駄《むだ》づかいで、こういうばかげたものを作るくらいなら、戦車兵を自転車にのせて爆雷を背負わせて走らせたほうがずっと効率がいい。竹ヤリでもい い。どうせ、全滅はおなじであることをおもうと、そのほうが安あがりだというだけでも気がきいているのである。

おそらく軍は三菱に、

——装甲板がなければふつうの鉄をつかえ。でっかい大砲をのせればそれで戦車じゃないか。ないよりましじゃないか。

という、なまじい高等教育をうけているためにかたちだけをうまくつけようという官僚根性でそれを生産させたのであろう。これを海軍の例でいえば、「戦艦が無くなったら無くなったで、貨物船に大砲を積んで戦艦であると称すればいいじゃないか」というのとおなじことなのである。

私は、濃い草色に塗られた三式戦車の砲塔の鉄を削りながら、

(こういうものを作らせた高級軍人たちは、いったい本気の愛国心をもっているのだ

ろうか）

と、心の冷える感じをもった。近代における政権に近いひとびとの愛国心の歴史は、自分と国家と同一のものだと考える時代が明治期いっぱいでおわり、あとは高級軍人たちが自分の官僚組織の単位と感覚でとらえるようになって愛国心としての実体をうしなった。参謀本部という〝愛国心専売官僚組織〟が事実上の開戦のボタンを押したことはまちがいないが、その〝組織〟としてでなく個々の高級軍人として、かれらが自分の胸に手をあてて本当に日本が勝てるとおもっただろうか。勝てると思ったとすればそれは軍事専門家でもなんでもなく、素人《しろうと》か、それともキチガイか、そのどちらかにちがいない。

おそらくかれら個々の本心はとても勝てないとおもっていたであろう。しかしその本心をたとえ個人的に同僚に話したとしてもかれは官僚として自滅するにちがいなく、極端にいえば自分の保身のほうが国家の存亡よりも大事だったのである。集団がいっせいに傾斜をはじめたときに、ひとり醒《さ》めた言動をするということがいかに勇気が要るかということはわかるが、しかしそれにしても昭和前期の陸軍の指導層というのはひどいものであった。敗《ま》ける公算が非常に大きいとわかっていても平気で国家をミコシとしてかつぎ、国民を扇動し、それらを運命の断崖《だんがい》にたたきこむという神経は、かれらが常用している精神安定用の哲学を考えなくては理解できない。中国から輸入したらしい「人事ヲ尽シテ天命ヲ待ツ」とか、「斃《たお》レテ後休《のちや》ム」といった一ダースほどの漢文くずしの格言がそれである。この種の格言が日本陸軍にあっては兵器よりも大切に用意されていて、日常茶飯につかわれ、もっともわるいことに戦争指導層の個々が、自分の専門家としての不安をまぎらすために自分自身に用いつづけたのである。なるほどこの材木のようにやわらかい砲塔があらわれ出たのは、指導層としては「人事を尽した」つもりであろう。あとは天命を待つのみである。そして指導層としては「斃れて後休む」のである。われわれ末端が斃れて後休むのは職分だからしかたがないが、オーナーであるべき指導層がその格言でもって自己逃避して、国家の運命も国民の運命もほったらかしというのではどうなるものではなく、結局はこの三式戦車の変な砲塔になってあらわれるのである。

右のことは、政治的傾斜をもった指導者集団というのはつねにおかしいということを、戦車に添えて言いたかっただけで、昭和前期の日本の技術が遅れていたということをいっているのではない。むしろ実験室内での技術はソ連と同等か、もしくは実験用戦車についてはそれ以上のものもあったかともおもわれるふしが多々ある。ただ国力がなかった。国力がないのは現実だから悔むに足りないが、国力がないということを冷静に認識して物事を考えるという自己認識の精神が昭和前期の日本になかったことが奇妙なのである。政治とイデオロギーとマスコミだけが過熱していた。斃レテ後休ム式のオッサンたちがわいわい言い合って、国や世間をうごかしていた。たとえば軍休ム気なら人間はどういう非常識なことでも考えられるし、出来もする。たとえば軍は国民に竹ヤリを渡して敵の爆撃機を衝《つ》けといっていたのだが、その気分に一億が酩《めい》酊《てい》しているなかにあってはそれがふしぎな言動でも光景でもなかった。「竹ヤリでは近代戦はできない」というあたりまえのことを書いた毎日新聞の記者は軍から弾圧された。たれが浅間山荘の青年たちを嗤《わら》えるであろう。

日本には、技術家たちが試作して、軍が採用しなかった(国力がないために)戦車が多種類あった。

右にのべた三式中戦車は変だが、ついに生産されなかった四式中戦車というのはすごいものであった。戦後、日本の兵器を接収した連合軍の接収委員が数輛あったこの試作車をみて、

「もしこの戦車を日本が大量にもっていたとすれば太平洋戦争の様相は変ったものに

なっていたにちがいない」

と、その性能に驚嘆した。四〇〇馬力のディーゼル・エンジンを積み、自重は三〇トンで、七五ミリの高射砲で武装し、砲塔は日本で最初の試みである防弾鋳鋼製で、操縦装置は油圧操縦システムであった。これよりさらに進んだ五式中戦車という試作車もあった。砲は九九式高射砲という八八ミリの長大なものが搭載されるはずであった。

しかしそれらは技術者の分野だけの試作車で、そういうものを大量にもてるような実力がこの国家にはなく、無いからこそ、斃レテ後休ム式の漢文的語調で現実をごまかしているだけの国だったのである。

たとえば同時代の英国では漢文語調は必要でなかった。英国はダンケルクの敗戦で手持ちの戦車のほとんどをドイツ軍にやられて大陸から逃げた。ところが私のような日本の国力の底を知ってしまった人間には考えられないことだが、そのあと英国はアフリカの砂漠《さばく》でドイツのロンメルの機甲兵団と対決できるだけの戦車生産力を回復しているのである。この国力のテストは、いま英国が衰えているといっても、英国を考える上で重要な要素としてなお生きているにちがいなく、おそらく国力のその基礎においてはこんにちでもなお日本の比ではないにちがいない。

ソ連もそういう歴史をもっている。

独ソ戦の初期はドイツの機甲兵団の圧倒的勝利で、ソ連の戦車は各戦線で敗北し、破壊され、ほとんどゼロになり、しかもソ連にとってつらいことに戦車生産をしていた欧露の工業地帯をドイツ軍に破壊された。

素人目には、とくに日本の軍部の目には、ソ連はこれでほろぶだろうとおもわれた。しかしロシアというのはピョートル大帝以来、西欧の工業とくに重工業に対する強烈なあこがれをもっていて、ソ連になってからは営々とこの重工業偏重政策をとってきた。かれらはウラル地区に大きな工業設備をもっていて、それがいわば秘密のようになっていた。

日本はノモンハンでソ連戦車に完敗したあと、ほんの二年か三年、大いに機甲兵力を整備（戦車師団を二つ新設）したつもりであったが、しかしソ連戦車を超越するだけの型へモデル・チェンジする国力がなかった。

ソ連にとって初期独ソ戦で戦車をほとんどやられたことは、むしろモデル・チェンジの好機になった。かれらはこのウラルの工業地帯で在来のソ連戦車の型を廃棄し、ドイツの戦車を凌駕《りようが》するだけの武装と防御力をもった戦車を生産した。T34戦車とKW戦車がそれで、独ソ戦の後段ではこれをもってドイツ戦車を圧倒してしまった。この異様に強靱《きようじん》な回復力にはむろん当時アメリカからの物資の大量援助があずかって力があったであろう。しかしソ連にとってはこの事実は、英国と同様、自分の国力の底がどれほどのものかを試すことができたという点で、いまもこの国にとって自信の基礎になっているようにおもわれる。

この点、日本の戦車兵は絶望というより、日本人くさい諦観《ていかん》の壁の中にいた。戦時の戦略外交ができるだけの政治家をもっておらず、かといって戦争をやめるだけの勇気のある政治家もおらず、戦車の数はわずかしかなく、それも型がずいぶん遅れていて、その型の生産さえストップしていた。むろん戦えば必ず敗けるということは、どの戦車兵も知っていた。

ところが、私にとっていまでもふしぎにおもうことは、自分が乗っている兵器の頼りなさについて不平をこぼした戦車兵というものに出遭ったことがなかったということである。

かれらは、決して馬鹿《ばか》ではなかった。

どの将校も下士官も、各国の戦車の性能や進歩の概略は専門知識として知っていたし、とくに敵のアメリカ戦車については手にとるように知っていた。さらに、戦車戦は勇気が主題になるものではなく、武装と防御力の差がすべてを決するということも知っていた。それでもなお、

「こんな戦車で戦えるか」

と、口に出していう者をついぞ見なかったというのは、あれはどういうわけであろう。日本の軍人はそうだったといってしまえばそれだけのことになるのだが、ひょっとするとこれは日本人の深層にふれる課題をふくんでいるかもしれず、あるいはひるがえって考えると、それほど深刻なものではなく、戦車という兵器をとおし、知識の上では十分国際的な比較ができているとしても、それがヒシヒシと実感として体の中に入ってくるような（たとえば日本がヨーロッパの一角に存在していればこういう実感比較は庶民レベルで可能だったであろう）国家環境に住んでいなかったために、感覚の上では、

——これでも陸の王者の戦車だ。

というおごりやら誇りやら、夜郎自大の楽天性やらがあってのあれだったのだろうか。そうだとすれば要するに日本人の地理的隔絶性による感覚的な民度（国際的な比

較能力での）の低さということにもなってくるかもしれない。どうやら当時の私自身の体験やら見聞やら考えても、これが理由の大部分のようにおもわれる。しかし日本の忠勇なる軍人は自国の兵器についての批評などはしないのだといってしまえば、そういういくつかの人間実景もいま思いうかべることができるから、そうとも、多少はいえそうである。

しかしたしかにいえることは、もし日本がヨーロッパのどこかの一角に存在していたと仮定すれば、ああいう戦車なり、ああいう粗末な装備の陸軍をもっていて、それが戦争という大それたことをするにせよ、しないにせよ、歩兵は巻脚絆《まききやはん》を足にまといつけて明治三十八年式の鉄砲をかつぎ、ほんの申しわけ程度に存在している戦車部隊は、私の机の上に置ける程度の小さな大砲を前に突き出し、ブリキのような装甲に車体をつつみこんで、ヨーロッパのどこかの大通りを分列行進するとすれば穴に入りたいほどの羞《は》ずかしさなしで歩ける勇気があったろうか。なかったにちがいない。

こんにち、世間をあげて中国へ異様な表むきの傾斜をしていること（個々の実感とはべつに）でもわかるように、日本人がときどき国をあげて跳ねっかえったり、あるいは外電を読んで突如ゲリラになったり、かとおもえば他国に迷惑をかけたことを、ある種の教徒が集団的に霊感に打たれたがごとく、黙禱《もくとう》命令のもとにしずしずと民族総ザンゲの頭《こうべ》を垂れたりするあの無気味さは、すべていまもむかしも変らないような気がする。戦車のことも、右のようなことどもも、すべてこの国が地球の繁華な場所からずいぶん遠くはみ出た波の上にあるせいであろうか。

石鳥居の垢《あか》

自分自身の過去について書くことほど、才能を必要とする作業はないように思える。くち惜しいことだが、私はその才能をもちあわせていない。そのくせこの欄を借りて自分の過去に属している戦車のことをつい書いてしまっている。しかしこれはすでに読んでくださってわかってもらえたかもしれないように、べつに自伝的なことを書いているのではない。私の青春が所属した昭和前期の日本という国家がどういうものであったかについて、戦車という物体を通して考えているだけのことである。

抜きさしならぬ思いでそう思うのだが、私にとって戦車という機械は昭和十年代の日本国そのものであった。悲しいほど重要なことは、あれは単なる機械ではなく、日本国家という思想の反映、もしくは思想のカタマリであったようにさえ思える。思想というのは善悪はべつとして白昼のオバケであるとおもうのだが、その意味ではあの機械はオバケであった。それも日本のオバケであった。なぜあれがオバケであったかについては、すでに書いてきたあれこれで多少はわかっていただけたかもしれない。

私はいまでもときに、暗い戦車の中でうずくまっている自分の姿を夢にみる。戦車の内部は、エンジンの煤《すす》と、エンジンが作動したために出る微量の鉄粉とそして潤滑油《モービル・オイル》のいりまじった特有の体臭をもっている。その匂《にお》いまで夢の中に出てくる。追憶の甘さと懐《なつ》かしさの入りまじった夢なのだが、しかし悪夢ではないのにたいてい魘《うな》されたりしている。この戦車で戦わねばならないのかという悲しさが夢の中によみがえってくるのであろう。

夢の場面は、たいてい満州の四平《しへい》陸軍戦車学校の薄暗い車廠《しゃしょう》である。私は候補生として入れられていた。私どもは四人に一輛《りょう》ずつあてがわれた戦車の整備を、ひまさえあればするように義務づけられていた。この学校は関東軍に属していた。当時、関東軍のこの種の学校の訓練というのは世界一はげしいといわれていた。げんに内地の戦車連隊で初年兵教育を終えるころ、その学校の出身者であった教官のN中尉《ちゅうい》は、

「おまえたちがもし四平戦車学校に入れられれば、三日で卒倒するであろう」

と、なかば同情し、なかば嚇《おど》したのをいまでもおぼえている。

もっとも現実にそこにほうりこまれてみれば、さほどのことはなかった。最初は悲鳴をあげたくなるほどつらかったが、すぐつらさに鈍感になった。どういう形態の日常であれ、たいていのことは日常というものが円運動のように繰りかえされてゆくことによって人間は簡単に鈍感になるようである。鈍感になれば漂うように日を送ってゆく。そういう漂いのなかで、私は戦車の戦闘室にうずくまり、整備をしていた。というより、整備をするまねをしていた。夢の中の戦闘室の舞台装置にはさまざまな大道具、小道具がある。

たとえば「四戊《よんぼ》」という符号でよばれていた車載無線電話機も銃手席の前にはめこまれていた。この無線機は性能のいいもので、もし汽船などに積めばどこまで波がとどくのだったか、とにかく驚くほど遠くまで有効だそうだが、ただ戦車に積んで陸上の地形錯綜《さくそう》地帯に入ったりすると、山に邪魔されてきこえなかったりする。この点はいまの無線タクシーの無線とかわらない。この装置の便利な点は小さなマイクをのどにくっつけて通話できることで、送話者が喋《しゃべ》れば、のどの振動だけで砲手や操縦者の耳にあてがわれているレシーバーにちゃんと人間の声になってひびく。ところが戦闘中はあまり役に立たない。戦車自身が発する轟音《ごうおん》や電気系統のスパークなどできこえにくく、結局は無線指揮というのはおこなわれにくかった。指揮はどこの国のどの戦車の場合もそうだが、直接的なやりかたでおこなわれる。車長が車を左折させようとすれば操縦手の左肩を蹴《け》り、右折なら右肩を蹴る。止レ、は背中を蹴る。前進、は靴《くつ》の裏でじわりじわりと操縦手の背中を押す。操縦手こそいい面《つら》の皮である。

もっとも、整備ではこの無線機の整備をすることだけは禁じられていた。素人《しろうと》がやればこわすからにちがいなく、整備といえば主としてエンジンの調整だった。しかし私にはエンジンをいじれるような能力がなかったため、大砲の砲尾機関の分解結合ばかりやっていた。これならバカでもこつを覚えればできるし、なにやら仕事をしているような格好だけはつくのである。ただ砲身から砲尾機関をはずすときに多少の馬鹿《ばか》力《ちから》は要る。大汗かいてそれを地上に置き、鎖栓《させん》といわれる自動開閉装置をはずし、分解し、そのこまごまとした部品をいちいちウエスでぬぐい、油をひき、あとはたっぷり時間をかけて結合する。砲尾機関など大砲を百発も撃ったあとならともかく、平素は手入れなどしなくてもいいのだが、しかしこういうものの手入れをさも理由ありげにやっているということが、軍隊の中でのサボリ方のひとつであった。騎兵でいえばたとえば馬の耳クソ（そんなものがあるのかどうか）をほじくっているようなもので、やらでものことである。しかし兵士たちはやる。兵士たちは拘束された時間という密室の中で奴隷《どれい》である。車体をたんねんに磨《みが》いている連中もいる。磨いたところで敵に勝つわけではないが、ともかく鋼板がすりへるほどみがく。

戦車の射撃号令には符号がある。たとえば敵戦車をクロといい、また戦車殺しを目的とする敵の対戦車砲をアカという。

「この稜線《りようせん》に敵のアカがいる。こちらの山あいの道路から敵のクロが十輛出てくる」

といったふうに戦術教育がおこなわれる。戦術教育のなかに、兵棋演習というのがあった。箱庭でもって山とか谷とか道路とかトーチカとかいった地形や地物をつくり、そこへ将棋の歩《ふ》ほどに小さい木製の戦車を必要な数だけ置いて状況の変化ごとにうごかす。状況を設定するのは統裁者である教官である。箱庭の山河のなかで両軍にわかれ、戦術的な戦車戦を演ずるというのが兵棋演習で、一見子供のあそびに似たようなものだが、この即物的な教育法を最初に考えた人間はおそらく「人間の抽象的思考なおれは信じない」というたぐいのよほど風変りな、しかしその意味で大変偉い人間だったにちがいない。この方法は最初、海軍が考案した。

それも、アメリカ海軍が考案した。いつごろ誰《たれ》が考案したのかわからないが、一八九八年の米西戦争のころにはすでにこれが教育用および作戦用の方法として用いられていたことはたしかである。当時ワシントン駐在の海軍武官だった秋山真之《あきやまさねゆき》大尉がこの着想を日本にもって帰って教育や戦術研究の用具にした。おもしろいことに海軍のモデルといわれる英国海軍にはこれが当時なかった。当時、二流の海軍国だったアメリカがこれを着想したという点が興味ぶかくおもえる。海軍の玄人《くろうと》として自他ともにゆるしている英国の海軍ならこういうあまりにも視覚的な、そして露骨すぎるほどに具体性をもち、いかにもオモチャめかしい道具に頼らねば作戦が考えられないということを恥じるであろう。しかし英国ものちにこれを採用した。

いずれにせよアメリカという、つねに素人考えがその文明の基調になっているこの国では、このオモチャで戦術を考えるほうが便利だった。アメリカ人は論理で物事を把握《はあく》するよりも、たとえば素人でもひと目でわかる統計で物事を把握したがるように、海軍にあっても熟練した玄人のみがやりうる抽象化された思考というのがにが手で、素人でも戦術に参加できるこういうものを発明したのである。米西戦争の海軍作戦は、この兵棋でもって練られた。陸地、島、海域という、海図を立体化した大きな模型盤をつくり、そこに米西両海軍のそれぞれ固有名詞のついた戦艦や各級巡洋艦の小模型を置き、「敵がこうくれば味方がこうゆく」といったぐあいに模型軍艦を動かしつつ作戦を考えたのである。

これを日本に移植した秋山真之は、日露戦争のとき東郷平八郎《とうごうへいはちろう》の幕僚としてほとんど作戦面を一任されていた。かれはおそらくこの兵棋によって旅順《りよじゆん》艦隊との対決法を考えたにちがいなく、またバルチック艦隊をむかえるにあたっての有名な七段構えの戦法も、この兵棋を動かしつつ考えたのかもしれない。のち世界中の陸軍もこれを採用した。

私どもも、この兵棋演習で、敵の戦車部隊に対する戦術を教わった。相手はいつもソ連の戦車部隊であった。戦車戦というのは海軍の艦隊対艦隊に酷似しているから、兵棋によって物を考えることはきわめて有効であった。

教官は陸士五十二期のひとで、出来のいい人だった。かれは箱庭のふちに立って状況を説明し、「どうだい、ええ?」と候補生たちを指名しては、

「この場合の小隊長の決心。——」

と、イガグリ頭の一つ一つに質問してゆくのである。みないい加減な解答しかできなかったが、最後に教官は原案を出す。原案とは軍隊用語で、戦術の課題の正解のことである。なるほど原案を明かされてみれば、詰将棋の正解のように明快でそうやれば勝てそうな気がする。しかしどうであろう。たとえばむかしの僧侶《そうりよ》が自分も信じて

いない地獄極楽の説教をするように、教官の原案もそれに似ているのである。原案というのは真赤なウソの上にのっかっているのである。僧侶のウソの上に地獄極楽のリアリティに富んだ精密な光景が構成されているように、日本の戦車戦術の原案というのもそうであり、ひるがえっていえばこのウソは日本という国家が国家の総力をあげてついている大ウソの一部であった。

海軍の兵棋は、戦艦もあれば一等巡洋艦、二等巡洋艦、三等巡洋艦、あるいは駆逐艦といったふうに艦種の区別がある。一等巡洋艦は戦艦に対してどう奮戦しても勝てっこない。一等巡洋艦の主砲はどう精神力をこめても戦艦の鎧《よろい》である分厚い装甲をつらぬくことができず、逆に戦艦がぶっぱなす主砲の徹甲弾は、簡単に一等巡洋艦の装甲を串刺《くしざ》しにし、ぶちぬくのである。だからたとえば戦艦と三等巡洋艦が遭遇したとすれば、三等巡洋艦のほうはさっさと逃げてゆく。この場合、逃げる以外に戦いの論理がなく、逃げるために三等巡洋艦には戦艦よりも早い速力があたえられているのである。この場合、もし三等巡洋艦の艦長が逆上して戦艦と戦うとすればかならず負ける。国家に損失をあたえる。海軍という分野の思考法はこの論理の上に成立しており、この論理から外れることはゆるされない。日本海軍が米英両海軍を相手にするという海軍論理から外れきった太平洋戦争をおこすということに消極的だったのはこのためである。しかし結局は陸軍と時勢にひきずられて、この論理をすてた。

ところが陸軍は戦車というものを所有した当初からこの論理的兵器に対して論理的戦術をもたず、論理的思考法ももたなかった。信じられないようなことだが、陸軍にあっては「戦車は戦車である以上、敵の戦車と等質である。防御力も攻撃力もおなじである」とされ、このふしぎな仮定に対し、参謀本部の総長といえども疑問をいだかなかった。現場の部隊でも同様であり、この子供でもわかる単純なことに疑問をいだくことは、暗黙の禁忌であった。戦車戦術の教本も実際の運用も、そういうフィクションの上に成立していたのである。じつに昭和前期の日本はおかしな国家であった。

このあたりのことをもうすこし述べる。米国やソ連の戦車と日本の戦車とをくらべると、これを海軍にたとえればむこうが戦艦でこちらは駆逐艦、もしくはせいぜい海防艦ぐらいにすぎなかった。

ところでもし海軍が戦術教育や戦術運用の面で、すべての艦種を「軍艦」という概念的呼称だけでよび、戦艦も駆逐艦もおなじものだと考えることになったとすればどうであろう。さらに「軍艦はみなおなじである。軍艦だからおなじ力をもっている。なぜならば軍艦だからである」という陸軍の戦車の論理をもって海軍をつくっていれば日露戦争の段階で日本はロシア領になってしまったにちがいなく、それよりも日清《にっしん》戦争の段階において日本は中国領になっていたにちがいない。

ところが昭和前期の日本陸軍の論理は歩兵においてもおなじであった。たとえば師団という大きな組織があった。親補官である陸軍中将を師団長とする大組織で、歩兵二個旅団を中心に騎兵、砲兵、工兵、輜重《しちょう》兵などの協力兵種をもつ独立の戦略単位である。ところで日本の参謀本部の作戦思想は「師団と名をつけた以上どの国の師団もみなおなじである。なぜならばそれは師団であるからである」という考え方が基調になっていて、これでもって昭和十四年のノモンハン事件という対ソ戦もやり、昭和十六年以後の対米戦もはじめた。ソ連や米国の師団は日本の師団と名称こそおなじだが、火力や機動力の点で内容はまるでちがったものであり、とくに太平洋戦争をはじめた一九四一年の段階ではその差が懸絶してしまっていたが、しかしそれでも日本の参謀本部の作戦は、こんにちともなればちょっと信じてもらえないかもしれないが、「師団は師団である以上万国均一」という一大フィクションのもとに樹《た》てられ、遂行されたのである。

「そいつはどうもちがうなあ」

などと、もしそのフィクションに対し、ただの常識を強力に主張する新聞、もしくは言論人が多数存在したとすれば、日本の運命も変っていたにちがいない。むろんそのことは陸軍にとって最高の反軍思想になる。さらには陸軍は統帥権《とうすいけん》干犯という、総理大臣の首をも飛ばすことのできる超法律を発動したにちがいないが、しかしそういう言論は一行も存在しなかったのである。理由は知識人や言論人のだらしなさではなかったように思える。たれ一人としてこの単純なことに気づく者がいなかったのではないだろうか。

じつのところ、陸軍というのは、かれが守るべき国家より、このフィクションのほうをこそ命がけで守っていたようであった。陸軍がその本体のアイマイさを覆《おお》いかくすためにさかんに流布《るふ》し、当然陸軍当局そのものも自己暗示にかかってしまうほどにつかいつづけたのは、例によって誇大な漢語のフレーズであった。たとえば無敵皇軍とか神州不滅とかという、みずから他と比較することを断つという自己催眠の呪文《じゅもん》である。無敵とか不滅とかという、このばかげた言葉を、給料をもらっている軍人という専門家が言いつづけ、言いつづけることによって、自分たちの本体の基礎にあるフィクションを覆いかくし、さらにはそのフィクションの上に戦略を成立せしめ、ついには世界を相手に戦争をするという、他の国なら狂人以外に考えそうにない大戦争をはじめてしまったのである。陸軍はたしかにそのフィクションを守りぬくことに成功した。しかしそのフィクションにたれよりもまず自分自身がだまされ、うっかり実体である国家や国民が置き去りにされて、フィクションだけが前へ前へと進んだ。われわれは何百万という生霊を犠牲にすることによって、歴史的規模のなかで政治というものの摩訶《まか》不思議さをまなぶことができた。

「それが天皇制というものである」

と、簡単に解釈してしまう考え方に、私はくみしない。一つのフィクションを解釈するのにべつのフィクションをもってくるようなもので、実体はそういうものではなさそうである。

日露戦争のころまでは、そういう国家の致命的機密としてのフィクションはまったくなかった。どうやら昭和前期の軍部が政治の中枢《ちゅうすう》にすわってから日本国という国家の国家学的体質を変えてしまったように思える。その体質は、敗戦によって断ち切られた。たしかに断絶したのかどうか、いまなお知らずしらずにその体質遺伝をうけ、フィクションの上に国家を成立せしめて平然としている政治思想が存在するのではないか、あるいはそれは存在せず、日本の政治家はつねにその国民に対して公明正大の態度で現実を知らしめ、必要ぎりぎりの機密だけポケットに入れておくという態度をとっているのかどうか、そのあたりの吟味はむずかしそうである。

話を、当時にもどす。

私はその戦車学校の期間を終えると、ハルビンをへて東満へ旅行した。ハルビンではうまれてはじめてホテルにとまった。東満で行きついたところが石頭という寒村で、この曠野《こうや》に戦車第一連隊が駐屯《ちゅうとん》していた。私はその連隊に属し、冬を過した。このあたりの山河は、七世紀末に忽然《こつねん》としてあらわれて二百数十年でほろんだ渤海《ぼっかい》という花火のようにあでやかで儚《はかな》かった国家の故地だったが、われわれの存在も渤海国のごとくはかなかった。このあたり一帯に、日本の国力には不相応の機甲師団（戦車第一師団）が駐屯していたのである。

そういう特別な師団が存在したことは、当時の兵隊のあいだでも知られていなかった。ふつうの師団は歩兵連隊が主力なのだが、この機甲師団ではまったくそれとは思想を異にし、戦車連隊が主力になっており、むろん歩兵も砲兵も工兵も存在した。しかしそれらの協力兵種はみな、歩兵でさえ、戦車の砲塔をはずした乗物や、いまの南極探検隊の雪上車のような無限軌道《キャタピラー》のついた車に乗っていた。すべての兵が乗車兵であり、徒歩兵はいなかった。そしてすべての車輛が装甲されていた。捜索隊は時速六十キロ以上も出る軽戦車に乗っていた。

（これが日本軍だろうか）

と、私はなにやら夢の中にいるような気がしたが、たしかに曠野のなかに新市街が現出したように、この師団のための兵営や工場などの建造物が傲然《ごうぜん》と建っている光景は、なまの現実ではないような感じがした。どことなく渤海国の栄華に似ていた。

渤海国は、例の高松塚《たかまつづか》古墳の壁画と関係のある高句麗《こうくり》国のほろんだあと、高句麗時代に差別されていた階層が北走し、独立し、王朝をたてた。かれらは「高句麗の末裔《まつえい》なり」と称していたし、人種的にはそうであったであろう。元来半牧半農だったこの地方のツングース民族がにわかに唐文化をうけ入れ、この曠野に、東京《トンキン》城の遺跡からも推量できるような華麗な文化を築きあげたあと、十世紀のはじめ、泡《あわ》がはじけるように消えうせてしまった国である。

機甲師団である戦車第一師団もこれと似ていた。ノモンハンの敗戦で狼狽《ろうばい》した日本陸軍は、ソ連なみの機甲化を考えた。東京の世田谷《せたがや》のいまの昭和女子大の地所に陸軍機甲本部をつくり、とりあえず戦車第一師団をつくって渤海国の故地に置いたが、そのうち太平洋戦争が勃発《ぼっぱつ》したために事実上立ち消えになった。この機甲師団はその華麗な遺物であった。

満州の冬はつらかった。やっと冬が終って、あらゆる草が一時に花をつけるという時期になって、われわれは連隊ごとここを去ってしまった。

この師団に属する機甲歩兵の連隊も機甲砲兵の連隊も、みな兵舎や施設を空家にして居なくなった。それぞれ、ちりぢりになって、太平洋方面の戦線に送られて行ったのである。

渤海国の故地の機甲師団は、ソ連への防衛のために置かれていた。当時、日本はソ連とのあいだに日ソ不可侵条約を結んでいた。しかしソ連は、帝政ロシアのころから条約を一方的に反故《ほご》にするという点では札つきの国であり、この国を信用しないというのが外交上の国際的な常識であったし、その条約などおよそ頼むに足りないものであることは、日本政府もよくわかっていた。しかし太平洋戦争末期のあわれな日本はそれどころではなく、わらをもつかむ気でソ連の信義という奇妙なものを信じざるをえなくなっていた。

大本営は、ソ連が決して攻めて来ないということを祈りつつ、昭和二十年五月、この機甲師団をその守備地からひきぬき、兵科ごとにバラバラにして満州から他の主要戦場に送ったのである。繰りかえすようだがわれわれが去ったのは五月であった。ソ連軍が怒濤《どとう》のように満州になだれこんできたのは、八月八日である。すでに満州における関東軍の兵舎はほとんどからっぽにちかかった。ソ連軍は戦車でやってきたし、列車でもやってきた。その機関車の正面に素裸にした若い日本婦人を縛りつけて驀進《ばくしん》してきた。あれは何のシンボルだったのだろう。社会主義国という人類のながい希望だった体制ではああいうことが好まれるのか、それともロシア人本来の戦意昂揚《こうよう》の方法なのか、どうも料簡《りょうけん》がわからない。

私がソ連の日本に対する宣戦布告を知ったときは、栃木県佐野にいた。その小学校の用務員室で新聞を読んで知った。私どもの中隊は、この小学校の一部を借りていたのである。

満州をひきあげた私の連隊は、おそらく南方の戦場にやらされるのだろうとおもっ

ていた。朝鮮半島を南下して釜山港で戦車を船に積み、海へ出てから船長が封緘命令《ふうかん》というものの封を切ってみると、

——新潟港へ入れ。

とあったらしい。関東平野へゆく。そこでおこなわれるはずの本土決戦のために帰らされたのである。

私の連隊は、連隊の原籍が久留米《くるめ》だったためにほとんどが九州人であり、マレー半島や満州を知っていても、東京や関東地方を知らない人が多かった。列車が三国峠を経てやがて関東平野に入ると、

「日本にもこんな大きな平野があったのか」

と、コロンブスがアメリカを発見したような驚きの声があがった。私も同感だった。私は東京という町を見たこともなかったし、むろん関東平野というものもはじめて見た。

「東京を守るため」

という作戦目的もきかされた。しかし現実には東京は守りがたいであろう。空襲と艦砲射撃で廃墟《はいきょ》になるにちがいなく、その廃墟の東京と関東平野を予想戦場として戦うということで、われわれは満州から運ばれてきたのである。明治以来、多くの美術

青年や文学青年が東京へやってくるのは、そこで芸術とは何であるかを身につけるためであり、それが伝統になっている。しかし私は不幸であった。満州からはじめて東京へやってきたのはこのあたりで絵を描《か》くのではなく戦車戦をするためであった。

われわれは北関東にいた。敵が相模《さがみ》湾か東京湾に上陸すればすかさず出動し、所定の道路を南下してこれを撃滅するということになっている。

その場合、私の中隊がとるべき道路はすでに指定されていた。

私は方角オンチだけに、できるだけそれらの道路を覚えようとした。夜間行動ができるように地形なども記憶しておこうと思った。

ほどなく連隊からTという奈良県出身の秀才の大尉《たいい》が大本営に転出した。大本営の作戦中枢は戦車の用兵について暗いためにT大尉の専門知識を必要としたのである。昭和二十年のぎりぎりになって、はじめて参謀本部が戦車の用兵を知ろうとしたということは記録しておくに値する。

T大尉の献策が効を奏したのか、それまできわめて概念的だった日本陸軍の戦車用兵がはじめて実際的になったようにおもわれる。敵の戦車との格差がわかり、その格差を認識した上で戦いの方法がきめられた。これを進歩というのはおかしいが、しかし日本的状況では進歩というほかない。その方法というのは、敵が上陸《のぼ》ってきて敵戦車がやって来そうなあたりに、無数の壕《ごう》を掘るのである。敵の戦車を落すための壕ではなく、味方の戦車がもぐりこむための壕であった。

トラックがすっぽり入るぐらいのクサビ形の壕をあらかじめ掘っておく。そこへ味方戦車が入り、ドンと射撃をしては後退《バック》で這《は》い出し、次ぎの壕へ躍進して、その壕から チョッピリ砲塔だけを出して敵を撃つ。これなら土が装甲の代用をするために、味方戦車の薄手の装甲を補いうるというのだが、そううまく問屋がおろすかどうかはべつとして、しかしすべての戦車は均質という抽象的思考レベルから思考が具体的レベルに転換したという点で、思想としては進歩したといわねばならなかった。しかしこんな方法で勝てるかどうかということになると、別問題かもしれない。

このころ、変なことがあった。

神奈川県の厚木という町の東方一帯には南北にかけて大変な湿地帯がある。水田耕作地帯も底なし沼のような深田になっていて、田植のときは小舟で植えてゆくという。

大本営では、

「この付近は深田だから敵の戦車はやって来ない」

ときめていて、さほどの防衛措置は講じていなかった。ところが、前記T大尉が、

——そのくらいの場所なら戦車は通りますよ。

といったのかもしれない。戦車というのは馬ではないのである。馬ならあの大きな自重が、小さな四つの蹄《ひづめ》にかかっているから深田に入れば、たとえば新田義貞《にったよしさだ》が越前《えちぜん》藤島畷《ふじしまなわて》の深田で馬の脚をとられて戦死したように、馬体はずるずると沈んでゆくのである。敵戦車は何十トンもあるにせよ、しかし両側のキャタピラーの接地面積は大きく、単位面積にかかる荷重の計算をすると、案外、馬は沈んで戦車は沈まないという理屈が成りたつかもしれないのである。さらに戦車は馬のように足掻《あが》かず、キャタピラーが接地したまま猛烈な勢いで回転するから、ごく短い距離ならそのまま突っ切ってゆけるかもしれなかった。

実験の結果は、そのとおりであった。

この実験のために、私どもは厚木までゆかされた。あぜにならんだ戦車は、一台一台水田の中に入った。泥《どろ》をはねあげながら全速力で泥田のすみを突っ切ってしまうと、苦もなく向う岸へ這いあがることができたのである。さらに土俵をたくさんほうりこんでやると、いっそう簡単に突っ切れた。米軍ならばこの土俵のかわりに薄い鉄板を敷いてしまうにちがいない。大本営からきたたくさんの参謀将校たちは、当惑しきっ

た顔をしていた。かれらは選《え》りぬきの秀才であることは間違いないが、生い育った当時の日本の環境が機械のすくない環境であったために、日常常識の中に機械がほんのすこししか入っていなかった。

「馬なら絶対通れやせんよ」

と、腹立たしくいっている参謀肩章《けんしょう》もいた。源平武者ではあるまいし、アメリカ軍が騎馬でやってくるはずがなかった。私は、それまで日本国家というものがもっと重厚な思考装置で運営されていると信じていたのだが、このとき、国家というもののたかの知れた底をのぞかされたような感じがして、こういうへんな所に来ねばよかったとわが身の不運をおもった。どうせ本土決戦で死ぬのである。死ぬ以上は、自分の死にあたいするだけの重厚さを国家の装置がもってくれていると信じたいし、そう信じて死ぬのが兵士としての幸福というものであった。

敵が上陸してくる場合、北関東にいるわれわれは、それぞれ所定の道路をつかって南下する。その邀撃《ようげき》作戦などについて説明すべく、大本営から人がきたことがあった。そのため連隊の将校たちが集められた。終って、質問になった。速成教育をうけただけの私にはむずかしいことはわからなかったが、素人ながらどうしても解せないことがあった。その道路が空っぽという前提で説明されているのだが、東京や横浜には大人口が住んでいるのである。敵が上陸《あが》ってくれば当然その人たちが動く。物凄《ものすご》い人数が、大八車《だいはちぐるま》に家財道具を積んで北関東や西関東の山に逃げるべく道路を北上してくるにちがいなかった。当時は関東のほとんどの道路は舗装されておらず、路幅もせまく、やっと二車線程度という道筋がほとんどだった。戦車が南下する、大八車が北上してくる、そういう場合の交通整理はどうなっているのだろうかということであった。

その人は相当な戦術家であったであろう。しかし日露戦争の終了とともに成立した官僚国家が、その後半世紀ちかく経《た》ち、軍人官僚をもふくめて官僚秩序というものが硬化しきったころに太平洋戦争があり、この人はその官僚秩序のなかから出てきている。戦術もその官僚秩序のなかで考えている人であり、すくなくとも織田信長《おだのぶなが》や羽柴《はしば》秀吉《ひでよし》のような思考の柔軟さは環境としてもっていなかった。このため、この戦術という高級なものを離れた素人くさい質問については考えもしていなかったらしく、しばらく私を睨《にら》みすえていたが、やがて昂然《こうぜん》と、

「轢《ひ》っ殺してゆけ」

と、いった。

同じ国民をである。われわれの戦車はアメリカの戦車にとても勝てないが、おなじ日本人の大八車を相手にならら勝つことができる。しかしその大八車を守るために軍隊があり、戦争もしているというはずのものが、戦争遂行という至上目的もしくは至高思想が前面に出てくると、むしろ日本人を殺すということが論理的に正しくなるのである。私が、思想というものが、それがいかなる思想であってもこれに似たようなものだと思うようになったのはこのときからであり、ひるがえっていえば沖縄《おきなわ》戦において県民が軍隊に虐殺《ぎゃくさつ》されたというのも、よくいわれているようにあれが沖縄における特殊状況だったとどうにもおもえないのである。米軍が沖縄をえらばず、相模湾をえらんだとしてもおなじ状況がおこったにちがいなかった。ある状況下におけるファナティシズムというものはそういうものであり、それが去ってしまえば、去ったあとの感覚では常識で考えられないようなことがおこってしまっているのである。

昭和二十年八月十五日に、日本は降伏した。

関東の片すみでこのラジオ放送をきいたとき、二千年もつづいた国家が崩壊してゆくというような大げさな悲愴《ひそう》感がどうしても胸のうちにおこらず、ともかくも戦車というこの絶体絶命の密室から解放されたという気落ちのようなもののほうがつよかった。

九月になって故郷の町に帰ってみると、家も町も空襲で灰になっており、かろうじて町内の氏神《うじがみ》の石鳥居だけ残っていた。石鳥居は御影石《みかげいし》でつくられていたが、焼け焦《こ》げたためか、ひっ搔《か》くとボロボロと垢《あか》のように、石の皮のような物質が落ちた。そのことから、いま過ぎたばかりの昭和前期の日本というのはあれは本当の日本だったのかどうかということが変に気になってきて、その気になり方が、日本人の経たながい時間に多少の関心をもつ契機になったような気もする。もっともそれは思い入れで、そういうものでもないかもしれない。

豊後《ぶんご》の尼御前《あまごぜ》

妙林尼《に》、妙麟尼《みょうりん》とも書く。

天正《てんしょう》のころ、いまの大分《おおいた》市付近で生きていた人である。

「媼《おうな》も、尼になったか」

といって、彼女の家にとって主君にあたる大友宗麟《おおともそうりん》が、その麟の一字をあたえたともいうが、よくわからない。美人であったと書くほうが気分がいいが、しかしその点もよくわからない。また大友宗麟が名だたるクリスチャン大名であったから、妙麟尼もひょっとすると洗礼していたのかもしれず、そんな気配もある。

彼女は、いまの臼杵《うすき》市付近の小領主であった丹生《にゅう》氏の娘としてうまれ、別府湾南岸の鶴崎《つるさき》という海浜に城館をもつ吉岡《よしおか》氏に嫁《か》した。いつ輿入《こしい》れしたかはわからないが、彼女の晩年が天正十年代だから、四十年ばかり差しひけばいいかもしれない。ほぼ天《てん》文《ぶん》年間であろうか。

この海浜の城館に輿入れしてきたころから彼女の初老ぐらいまでが、日本史における別府湾のもっとも華やかなころであった。この湾に城楼のように大きい各国の貿易船が相ついで入ってきて、世界の珍物をもたらすことがつづいたのである。

大分川は北流して別府湾にそそいでいる。その河口から五キロばかりさかのぼった田園のなかに、上代以来の豊後国（大分県）の国府があり、鎌倉《かまくら》以来の守護大名である大友氏の居城もここにあった。

大友宗麟（名は義鎮《よししげ》）は、この城館でうまれた。かれの少年のころ、おそらく天文年間の初期、ここに中国のジャンクが入ってきたのが、この湾の諸港が海外貿易の錨《びょう》地《ち》になったはじめであるらしい。船は中国人のものだが、乗っているのは、六、七人のポルトガル人の商人であった。そのうちの重だつ者が、ジョルジ・ファリヤという商人であった。

「あの南蛮人を殺してしまいなさい」

と、宗麟の父の義鑑《よしあきら》にすすめたのは、中国人の船乗りたちである。積荷を奪えば儲《もう》かるではないか、という。義鑑の心がうごいたが、少年の宗麟がこれをおしとどめた。

宗麟は少年のころから南蛮人がもたらす品々がすきで、九州においてはすでに他の地方でかれらが入港していたらしく、そのことを耳にしたのであろう。殺せば、もう来なくなる、むしろ彼等《かれら》を来させたほうが貿易によって家が富むではありませんか、といった。義鑑がそのようにすると、やがて相次いで明船《みんせん》や南蛮船がやってきた。ディオゴ・ヴァスというポルトガル商人などは、五年間ほど城下で住んでいたくらいであった。ヴァスは日本語もできた。南蛮ずきの宗麟がしばしばヴァスの居宅を訪ねていたらしいことは、ヴァスが聖書を前に神に祈っているところを見たということでもわかる。

「何に祈っているのです」

「この天や地を創《つく》った主に祈っているのです」

と、ヴァスは答えたらしい。宗麟ははじめて神の存在を知る。しかしかれの洗礼はずっと後年のことになる。

後年、宗麟は、多分に貿易の利を得るがためにキリスト教を保護した。宗麟はのちに、この国府(古国府とも豊府ともいった)をすて、臼杵に移った。ここに丹生島《にゅうしま》城をきずくのだが、築城当時は九州第一等の城であるとされた。その城下の臼杵の町には、学校《コレジヨ》も神学校《セミナリヨ》も、病院も孤児院もできた。聖歌隊もあったとおもわれるし、オペラなども演じられたことがあったかもしれない。
こういう異風な光景を、吉岡妙麟尼はごく身近なものとして見なれていたであろう。

大友宗麟は戦国期においては南蛮人から大砲を手に入れた最初の人物として知られているほか、後世にとってさほど魅力を感じさせる人物ではなさそうである。かれは鎌倉以来の名家の子にうまれたにしては膨脹《ぼうちょう》の気分のつよい男であり、壮年期まではたしかに英気潑剌《はつらつ》としていた。気宇も大きく、好奇心もつよく、思慮もしたたかな男であったように思える。

かれは北九州から肥前《ひぜん》あたりまで版図をひろげたが、九州の諸豪族の心をつかむには、大盟主として頼もしがられるといったような人望に欠けるところがあった。そのせいもあって、中国地方から毛利氏の勢力が北九州に伸びてくると、筑前《ちくぜん》(福岡県の一部)あたりの諸豪族は毛利氏にしたがうような色合いをみせた。小豪族にとって毛利氏のほうがひとたびその傘下《さんか》に入った場合よく保護してくれるという印象があったのである。

宗麟の好奇心のつよさは、好色というかたちになっても現われている。かれは美女を得るためにその役目の者を上方《かみがた》に常駐させておいたといわれているし、臼杵のかれの城館にはそういう婦人が多数住んでいた。家臣の妻をとりあげるといったようなことも一度や二度ではなかった。宗麟はそういうことは平気な男であったらしく、元来、うまれつきの貴族というものが漁色家になる場合、倫理観念のブレーキがきかないものらしい。ついにはかれの傘下にある一万田《いちまだ》親実《ちかざね》の妻にまで目をつけた。一万田氏は大友の支族で、親実は宗麟に対する忠誠心がつよかったが、宗麟はこれに対して謀反《むほん》の容疑をつくりあげ、親実を殺してしまった。このため親実の実弟の高橋鑑種《たかはしあきざね》が大いに反発した。高橋鑑種は大友家のためには毛利ふせぎの勇将として誠実につとめてきた男で、およそ政略的なけれん味にとぼしい人物だったが、こういう人物が謀反をおこしてしまったのである。高橋鑑種は筑前宝満《たからま》城にこもって毛利氏と通じ、宗麟に手むかった。このことは宗麟の衰運のはじめといっていいが、いずれにせよ宗麟の好奇心は対南蛮接触において先駆的な役割をはたし、それが漁色にむかった場合、みずからの勢力をおとろえさせるもとになった。宗麟にはどこかおかしいところがある。漁色で国をかたむけることが愛嬌《あいきょう》になっていればむしろ救いがあるのだが、うまれついての貴族がときにもっているところの、人間の心の相場をずいぶん安く見すぎるところがあって、漁色もそんな暗さから出ているようである。宗麟は人に愛嬌を感じさせる男ではなかった。高橋鑑種の反乱も、実兄が宗麟に謀殺されたということ以上に、宗麟の人柄《ひとがら》につくづくいや気がさしたのであろう。

大友宗麟はその最盛期においては文字どおり鎮西《ちんぜい》の覇王《はおう》であった。その運がかたむくについての外因は、まず北九州に毛利氏の勢力がのびたことがある。次いで南九州で薩摩《さつま》の島津氏が自国の国内統一をとげ、その勢いを駆って大膨脹運動をはじめたためでもある。大友氏の勢力はこの板ばさみになった。とくに島津氏の勢いのすさまじさには、手のつけようがなかったらしい。宗麟の兵は勇猛剽悍《ひょうかん》で知られた薩摩兵にかなうはずがなく、侍大将級もこの時期の薩摩は粒よりの者がそろっていたし、それに島津側は主将の島津《しまづ》義久《よしひさ》(竜伯入道)も副主将の同義弘《よしひろ》(惟新《いしん》入道)も将領としての器量が宗麟をはるかに越えていた。

島津氏が、大友の大軍を大きくやぶったのは、天正六年の日向《ひゅうが》国耳川《みみかわ》沿岸における会戦である。島津の兵三万、大友の兵はそれを越えていたというから大会戦を想像させるが、耳川沿岸の地形は山岳が折りかさなって平地がすくなく、大会戦のおこるべき地理的条件をもっていないため、合戦はおのおの谷々で無数の小部隊が無数の小戦闘をかわしたという形式であった。従って平野決戦とはちがい、主将の目が戦線の全般にゆきわたるわけではなく、勝敗は各小部隊の戦意に俟《ま》たなければならなかった。要するに大友方に戦意がとぼしかったということを、この敗戦の地理的条件ほど証拠だてているものはない。宗麟は人望をうしなっていた。

さらには、このころ、宗麟はキリスト教をひろめるために、神社や仏閣をこわしつつあり、このことがかれに対する人気を失わしめたということもある。宗麟は耳川への行軍中、道路のわるいところは仏像をほうりこんで穴埋めにしたといわれている。

『大友記』に、

「道悪《あ》しき所にては、仏神の尊容を取《とり》はめ〳〵、是《これ》を踏んで通りし」

と、書かれている。

宗麟はこの陣中に、七人の南蛮人宣教師をともなっていた。かれらがローマに送った報告には、

「宗麟はその征服した土地の神社や仏閣をこわした。そしてつねづね、自分はキリスト教をもって統治したい、と語った」

という意味のことが出ている。

これに対して島津勢は、陣頭に山伏《やまぶし》を立て、敵を調伏《ちょうぶく》する修法をさせたり、呪法《じゅほう》をさせたりしてすすんだ。島津氏では山伏のことを兵道《ひょうどう》といい、陣中にはかれらをかな

らずともなっていたから、耳川の合戦は一種宗教戦争のごとき観があったであろう。島津氏はこの天正六年の耳川の勝利のあと、七、八年後には九州全域に威をふるい、大友氏を追いつめ、わずかにいまの大分県に閉じこめるいきおいを示した。

そのころ、中央でにわかに秀吉の政権が成立していた。

宗麟は、秀吉にすがりつくようにして救援をもとめた。使者をのぼらせたのではなく宗麟みずからがわざわざ上方《かみがた》へ駆けのぼって、秀吉に拝謁《はいえつ》し、その同情にすがった。宗麟のように気位の高い男にしてはよほどのことであったろうとおもわれる。あるいはそれほど内心の抵抗はなかったかもしれない。自力でなんとか悪運を回復するということをせず、ともかくも強い者にすがりついて悲鳴をあげてみせるというのはむしろ宗麟らしさということであったかもしれない。宗麟というのはどこか致命的に欠けたところがあり、それが人望のとぼしさとも結びついている。

秀吉は、非常な上機嫌《じようきげん》だった。

かれにとって、東海の家康《いえやす》が臣従するにいたっておらず、関東、奥羽《おうう》はまだ手をつけるにいたっていない。ただ西のほうは中国の毛利氏が服従し、四国の長曾我部《ちようそかべ》氏も臣従している。そこへやや落目になったとはいえ九州における旧覇王がみずから上洛《じようらく》してきたということは吉兆であった。しかも大友宗麟といえば戦国大名のなかでも鎌倉以来の名家の当主であり、その者が自分の前で胸を畳にすりつけるようにして平伏しているのを見ることは、栄達のおもいを充《み》たす光景であったであろう。

これに対し、島津氏も対秀吉外交をわすれてはいなかった。老臣ひとりと僧ひとりを使いにして、上方へのぼらせている。秀吉はこれに対しては厳格であった。

島津氏は島津氏で、内々秀吉というにわかな出頭人を軽んずるところがあった。

――かれは織田氏の足軽だったというではないか。

という老臣たちが多かった。九州の南端の認識では、上方でくりかえされてきた下《げ》剋上《こくじょう》の実景がよくわからず、まして織田勢力の出現前後からきわどいほどの能力社会ができあがりつつあったということが実感として感じにくく、足軽が関白になるようではほどなく素っころぶであろうとたかをくくるかたむきもあった。この点、秀吉のすそに孤児のようにすがりついた大友宗麟のほうが利口だったかもしれない。

もっとも秀吉は自分の政略でうごいていた。かれの天下統一にとって当然九州の平定は必要であり、それには島津氏の請願は好ましくなかった。島津氏はここ七、八年のあいだに九州一円を斬《き》りあらして八カ国に威をとなえている。島津氏が秀吉に承認をのぞんだのは、その八カ国という大領域をみとめよということであった。

秀吉はこれを一蹴《いっしゅう》し、いかにも秀吉らしく自分の肚《はら》の中をあますところなく島津氏の使者につたえている。秀吉は筑前一国だけを、自分の直轄領《ちょっかつ》としてほしい。それは貿易港である博多《はかた》があるからであり、堺《さかい》と博多というこの二大貿易港を公有にしてその利益を独占することによってかれの政権の主要財源にしようとしていた。秀吉が財政家としてただ者でなかったのはこのことである。

九州における他の国は、かれの嗜好《しこう》をそそらなかった。ただそれら国々には島津の武威で首をひっこめている大友氏らいくつかの旧勢力がいた。これが今後失地回復のために島津氏と絶えまなくあらそってゆくことは、秀吉にとって不利であった。秀吉の方針としては短時間で天下統一をしようとしており、それにはあらごなしに諸勢力の頭をなでてとりあえず統一のかたちをとる必要があり、そういう安定方針のためには、九州最強の島津氏をひっこめさせなければならない。

「毛利氏が多年九州に兵を入れてきた実績がある。これをみとめて、肥前は毛利氏にあたえる。大友氏には、筑後《ちくご》と肥後《ひご》の半分、そして豊前《ぶぜん》の半ばをあたえる。島津氏は本領の薩摩と大隅《おおすみ》の二国にもどるべし。ただし日向、肥前、肥後の半国ずつをあたえよう」

と、いった。島津氏はこれを蹴《け》った。

結局、秀吉の九州出兵になるのだが、この時期、東海の徳川家康が臣従を誓う形式をまだとるに至っていないために、大軍を上方からうごかせない。

そのすきに、島津氏の軍事活動はふたたび活発になった。島津氏としては上方の大軍が到来しないあいだに大友氏を攻めほろぼし、九州全土をもって秀吉と対決しようとしたのである。

この間《かん》、大友宗麟はほとんどなすところを知らない。

その与党の者はほとんど島津方につき、わずかに岩屋城をまもる高橋紹運《じょううん》入道とその実子である立花《たちばな》城主の立花宗茂《むねしげ》ぐらいが力戦する程度であった。高橋紹運は敗死した。立花宗茂のみがよくふせぎ、この立花城での防戦のはげしさで天下に名が知られ、やがて秀吉およびのちには家康から格別の会釈《えしやく》をうけ、江戸期には筑後柳川《やながわ》の立花家として残ってゆくにいたる。

秀吉は、東海の家康が臣従しないために容易に腰をあげなかった。わずかに毛利氏の先鋒《せんぽう》と四国の大名たちを大友氏への申しわけ程度に送りつけるのだが、四国の大名たちは戸次《べつき》川の河原で島津勢のために大敗し、海に蹴おとされてしまっている。

宗麟の身辺まであぶなくなった。

この時期に、吉岡妙麟尼が登場する。

彼女が、別府湾南岸の鶴崎の城館に住んでいるということはすでにのべた。鶴崎城は、追いつめられつつある大友宗麟とその子義統《よしむね》をまもるうえで、のどくびにあたる要害であった。

ところが、城主がいなかった。

居るにはいたが、吉岡統増《むねます》という幼少の者である。妙麟尼にとっては孫にあたる。妙麟尼の夫である鶴崎城主吉岡三河守《みかわのかみ》宗歓は早くに死んで彼女は未亡人になっている。長男の統久《むねひさ》は大友宗麟が龍造寺《りゅうぞうじ》氏を攻めたときに戦死した。そのあと次男の統定が継いだが、これも天正六年のさきの耳川の大敗戦のときに戦死した。「七里ノアイダ屍《しかばね》バカリ」といわれたほどの凄惨《せいさん》な戦場で死んだ。幼少の統増は、その次男の遺児である。

「私が采配《さいはい》をとりましょう」

と、妙麟尼は、宗麟のほうへも、家中《かちゅう》にも、そう宣言したらしい。女が事実上の城主になって合戦の指揮をとるなどは、戦国百年のあいだ、この鶴崎城の場合が一例あるのみで、目をみはるような異常事態といっていい。

大友氏の家勢というのはそこまで衰えていたということがいえる。鶴崎城の吉岡家にも何人かの家老がいたはずだし、かれらの筆頭の者が幼主を擁して采配を代行すればよく、それがごく普通おこなわれる形態であった。しかし家老たちはおろおろうろたえるのみの無能者ぞろいだったにちがいない。

この事態で考えられることは、大友氏が中世の門閥体制をそのままにのこしていたということである。中央では織田勢力の勃興《ぼっこう》によって門閥主義というのはほとんどくだかれ、その意味での中世がまったく断ち切られた。例をあげるまでもないことだが、信長の五人の家老のうち、織田家の譜代というのは柴田《しばた》勝家《かついえ》と丹羽《にわ》長秀《ながひで》だけで、あとは他国から流れてきた牢人《ろうにん》あがりが滝川一益《たきがわかずます》と明智《あけち》光秀《みつひで》であり、秀吉は足軽あがりである。他は推して知るべきで、能力のある者が、軍事と政治の要職につき、下級将校の職にいたるまでその原則のような気分が作用していた。自然、どういう小城でも防戦を指揮できる者がいないということはなく、従って婦人が指揮せざるをえないという事態がおこらなかった。鶴崎城の吉岡家の場合、家老もその下の者もことごとく門閥でその地位についていたにちがいなく、この中世的体制が大友氏ぜんたいの状態だったにちがいない。

しかしそれにしても、妙麟尼が、私が指揮をとります、ということが十分には理解できない。彼女をもし小説に書くとすれば（書くつもりはないが）私は迷うにちがいない。

たとえば逃げることもできるのである。

「私のほうは、ちっぽけな小城ですからとても島津の大軍をふせぎきれません」

ということは、武家の女だから決していわない。他の口上でいう。

「当主は幼少で、もしこの統増が死ねば吉岡の血統は絶えます。ですからこの私は統増を抱いて他のお城に移ります」

というようなことは、ごくふつう、おこなわれてきた。城の指揮権は家老のひとりにゆずればいいことで、これも当然なことである。また家系が絶えて先祖の祀《まつ》りができなくなるというのは封建期にあってはすべてに優先する理由であった。むろん移るべき城はないが、しかしなお宗麟とその子の義統がいる城がある。そこに大友一門の女どももいる。それへ合流するのがふつうのことなのだが、彼女はそのふつうの行動をとらなかった。ということはどういう人間なのだろう。

たとえ壮年の男が城主でも、この海岸ちかくの平地にある鶴崎城の場合、津波が押しよせてくる浜にあるちっぽけな漁師小屋のようなもので、一日か二日はささえられるにしても、戦略的にその一日か二日の防戦がさほどの意味をもつものではない。そう判断した場合、寝返るか、それとも戦闘員をつれて他の防御能力のある城へ合流するか、どちらかの方法をとることが多い。

死守は、高橋紹運における岩屋城・宝満城や、立花宗茂における立花城のように、それぞれ大部隊が名だたる堅城を守備している場合にこそ敵にあたえる打撃も大きく、意義が大きい。鶴崎城のようにわずかな力で踏みつぶされるような城は、死守というようなはなばなしい防戦形態さえとれないのである。しかし妙麟尼はそのことをやった。

高橋紹運と立花宗茂は、生よりも名誉を重んじて城を死守したという点でのちのちまで九州武士の典型とされた。戦国百年を通じてこのふたりほどさわやかな行動をとった城主級の者はすくないが、内部的にも崩れてしまった大友氏のなかでこのふたりがいたというのは宗麟の人格的ふんいきとひどく場違いな感じもする。戦国期では大将の人格がその配下に影響した。この父子が、大友家の家風に似つかわしくないのは、どの環境にあっても紹運であり宗茂であるといったふうの、よほど強烈な個性とモラルをもっていたのであろう。ついでながら立花宗茂はこのとき二十そこそこである。のち関ヶ原のときは三十をすこし越えていた。関ヶ原では石田方につき、倫理観念から明快に「豊臣《とよとみ》家を擁護する」という意識をもった数すくない武将のひとりだった。関ヶ原の主力決戦には出なかったが、近江《おうみ》大津城を攻めおとし、九州に馳《は》せもどってさらに徳川方の加藤清正らと戦うという強烈な行動をとっている。当然戦後は失領したが、家康は、

――あの男ばかりは憎めない。

としてすぐ数千石の食い扶持《ぶち》をあたえ、次第に増封してついにもとの禄高《ろくだか》にちかい十万余石に復せしめて柳川城主にしている。功利的な政略意識よりも倫理的行動を好むという点で、戦国期の大名にめずらしい存在であったことがこのことでもわかるし、宗麟の家風とは別個の人物だったにちがいない。

もっとも、多少の事情もある。

晩年の宗麟がやった意外なこととして、宗麟が秀吉に救援を乞《こ》うべく上方にのぼったとき、この高橋紹運、立花宗茂の父子を連れて行っているのである。この父子をも

秀吉に拝謁させ、

「この両人を、御直参《ごじきさん》の大名にしていただきたい」

といっているのである。

このためこの父子は、形式上は宗麟が主人であるよりも、秀吉が主人であり、宗茂ごのみの武家の面目からいえば天下に自分の名がきこえたということにもなる。宗茂がこのことを面目上の重大事であるとおもっていた証拠に、島津勢がかれの立花城をかこんでまず降伏を勧告したとき、

「それはできないことだ。なぜならば自分の名前はすでに天下人《てんかびと》に知られてしまっているのである」

という意味の、きわめて明晰《めいせき》な返答を文書でもっておこなっているのである。

高橋紹運と立花宗茂にはそういう事情もある。

が、吉岡妙麟尼にはそういう事情もない。

以上のように考えると、妙麟尼がその小城を死守するという精神はよほど異常なことだということがわかる。

その異常なことをあえてやったのは、二人の息子を戦場でなくしたということとお

そらく無関係ではあるまい。むろん逆に、亡《な》くしたればこそ戦いがいやになって「せめて孫ばかりは」といって山村にかくれてゆくという発想もありうるが、この場合、だから戦うのだということに踏みきったのは、彼女の性格であるにちがいない。戦国期におけるこういう場合の諸条件のなかで、性格ということが、右のような順序を経たすえにようやく出てくるようにおもえる。あとは、性格が行動を決定すればよい。

長男は竜造寺氏との戦いで死んだが、あとを相続した次男は島津氏との戦いで死んでいる。次男を殺した島津氏に対する憎悪《ぞうお》もあったであろう。もっともごく普通の武家の感覚では戦場の敵に対する憎悪は顕在的にはありえないことになっている。戦場の死はあくまでも死者の名誉であり、それを討った相手にあだうちせねばならぬという論理は存在しなかった。それでもなお彼女が島津氏に憎悪をもち、それがために城兵をひきいて立ちあがったとすれば、その面でよほどつよい個性の女性だったということが考えられる。おそらくそうであろう。

彼女があるいはクリスチャンだったとすれば、以下のようなことが考えられる。宗麟、洗礼名ドン・フランシスコは、キリスト教をもってその領内を統治し、神の御名《みな》をもって版図を斬《き》りひろげるということをどうやら宣言していたふうであり、それに対して妙麟尼が女だけにしんそこからそれを真《ま》に受けていたとすれば、彼女の強烈な戦闘精神がわりあい容易に理解しうるのである。薩摩島津氏というのはキリスト教布教における困難な相手で、フランシスコ・ザビエルが最初に入陸したところ（坊ノ津）であるにもかかわらず、信徒になった者はわずか百人そこそこで、ザビエルもここに見切りをつけざるをえなかった。島津氏は個々の安心立命としては禅宗を好み、戦場での武運をきりひらくためには兵道と称する密教を軍隊の制度として採用していたことはすでにふれた。島津氏が好む山伏というのは南蛮の宣教師がもっとも憎んだ相手であり、「かれらは悪魔の扮装《ふんそう》をし、悪魔の術をつかう」と言い、もっとも頑強《がんきよう》な異教として怖《おそ》れてさえいた。妙麟尼がクリスチャンであったとすれば、その身分からみても、宗麟のもとに訪ねてきたフランシスコ・ザビエルにも会ったはずであるし、その他の宣教師にも日常的に接していたであろう。宣教師たちは宗麟において十字軍の王のごとき精神を見出《みいだ》したはずであるし、とすればその敵の薩摩人たちをサラセン人やトルコ人のごとくおもっていたにちがいない。その宣教師の気持が、妙麟尼に影響したとすれば、彼女はこの当時のキリスト教の一特徴である殉教精神をかきたてられたかもしれない。

彼女について語っているのは、『豊薩軍記《ほうさつ》』なのである。この記録は彼女のはなやかな指揮ぶりには能弁なのであるが、彼女がどういう人であったかについては興味を示さず、まったく沈黙している。このため、以上のようにあれこれ彼女の周囲を考えて臆測《おくそく》せざるをえないのだが、結果としてはみごとに敵に勝っている。

彼女は薩摩軍の来襲を予想して、城を補強した。その補強についての設計までやったらしく、さらには城外に砦《とりで》を一つ築き、これについて、「あれを外郭に、ここに二ノ丸、あちらに三ノ丸を」といったぐあいに現場工事の指導までしている。むろん事は急を要するために、堀《ほり》は薬研堀《やげんぼり》にした。薬研堀とはV字形の急造の堀のことである。そのほかびっしりと柵《さく》を植え、柵のそとには陥《おと》し穴をつくり、あるいは鉄菱《てつびし》をまいた。これらの工夫は城内の男どもをよほど感心させたというから、彼女の戦術的知謀というのはよほどのものであったらしい。

島津勢は、天正十四年十二月十二日、秀吉の先発部隊である四国の大名たちを、戸次川の河原で敗走させたが、そのあと主力は大友氏の本拠を衝《つ》くべく行動し、支隊三千は、戸次の新戦場からほんの半日の距離である鶴崎城に攻めかかった。

島津の第一回の攻撃は十六度におよんだが、十六度とも妙麟尼はみごとに撃退してしまっている。この防戦では、無数に掘られた陥し穴がうそのように効果を発揮した。

島津方の人馬がくずれるように陥《お》ちこむと、底の削《そ》ぎ竹につらぬかれて難渋した。城方はそれを見すかして鉄砲二百八十梃《ちょう》をうちかけるのだが、妙麟尼はこの陥し穴ごとに笹竹《ささだけ》を植えたり、松の大枝を挿《さ》しておいたりしたために、射撃のねらいをつけるのにきわめて便利であった。

しかし、一日で三ノ丸まではとられた。

が、妙麟尼は本丸・二ノ丸をかたくまもり、夜になるとみずから巡視し、士卒に酒などをふるまって夜寒をふせがせるなど、こまかい心遣いをした。彼女はむろん女装である。鎖鉢巻《はちまき》をかたく締め、体にも鎖の着込《きこみ》をつけ、その上から小袖《こそで》を羽織り、裾《すそ》みじかに着ている。その服装で毎日、敵の顔のみえるあたりまで巡回し、士卒をはげました。

信じがたいほどのことだが鶴崎城はよく防戦して年を越え、天正十五年になり、その一月も過ぎた。島津方は力攻して損害をつくるよりも包囲して城兵の疲労を待とうとした。こういう作戦方針をとったということからみても、妙麟尼の防戦がいかにすさまじいものだったかがわかる。

が、敵よりも味方のほうが、やがてばかばかしくなったらしい。家老は、中島玄佐

と狩野道察という者で、内心、

（こんな婆《ばば》ァに追いまわされていては、さきゆきとんでもないことになるのではないか）

と、不安を感じたらしい。妙麟尼はただいさましく戦うのみで、この戦いの将来への展望というものをもっていないのではないかということを、二人の家老は不安におもったのである。島津方も、その時期を察していた。城方へ密使を送り、中島と狩野に金銀をつかませたというから、吉岡家はよほど頼りにならない家老たちをもっていたことになる。

やがてこの両家老が、妙麟尼に開城を説いた。理由ははっきりしている、城内の兵《ひょう》糧《ろう》や弾薬が尽きようとしているのである。しかも秀吉の援軍はその後一向に九州に上陸せず、これ以上の防戦はむだである、といった。妙麟尼も、表面はなっとくした。ただし肚《はら》の中は、

（この腐れ家老《としより》め）

と、煮えかえるようであったろうことは、以後の彼女の行動から察しられる。表面、家老のことばにしたがう必要があったのは、家老たちが内応の気配をみせている以上、これに従わなければ殺されるからであった。ここでもう一つ、とるべき方法がある。

高橋紹運が刀折れ矢尽きて岩屋城の高櫓《たかやぐら》で切腹したように、彼女も自害してその美を全《まっと》うすることであったが、あるいはこの方法をとらなかったのは、みずからを殺すことを禁じているキリスト教の信仰によるものであったかどうか。

もっとも、以下の行動をみると、自害をするようなしおらしい女性でもなさそうである。彼女は、開城した。

島津方の将は、野村備中守《びっちゅうのかみ》文綱、伊集院久宣、それに白浜政重である。かれらは入城し、城方はそとへ出た。島津方の将たちは、妙麟尼の奮戦ぶりに感心しきっていたから、開城後の手当はできるだけ厚くした。たとえば彼女のために城外に城郭めいた屋敷をたててあたえたというほどで、すっかりファンになってしまっていたらしい。島津方の士卒たちも、吉岡方の士卒とへだてなく交驩《こうかん》した。たがいに傷をみせあっては、この傷なら某《なにがし》の射た矢に相違ないとか、あのときに槍《やり》をつけたのはわしであるとかといったふうの話をしあったらしい。

妙麟尼も、かれらとよく交驩した。『豊薩軍記』では、

「雨中、徒然淋《つれづれさび》しき折節には城中に音信し、また或《あ》る時は三将を私宅へ招き、珍膳菓《ちんぜんか》肴《かう》、種々の美物を調《ととの》へ置き、女の顔よきに酌《しゃく》など取らせ」

といったぐあいだったと書かれている。

三月になった。

秀吉の大軍がいよいよ大坂を発するという急報が薩摩にもとどいたのであろう。島津方はいそぎ防戦配置をととのえるべく、諸方の前線陣地の入れかえをしたり、兵力を撤収させたりした。この豊後鶴崎などは別府湾にのぞんでいるだけに秀吉軍の上陸地の一つになるに相違なく、撤収せねばならなかった。このため、野村備中守文綱は『豊薩軍記』によればわざわざ妙麟尼の居館へおもむき、

「自分たちは本国に帰ることになりましたが、尼御前はいかがなし給《たも》うや」

と、親切にもきいてやったらしい。きっと人のいい男だったのだろう。

妙麟尼はおどろくふうで、

「それは意外な。私どもと致しましてはすでに大友殿に背き参らせて城をひらきました以上、当地に残っていてはかならず害を受けましょう。しかもかようにまで昵懇《じっこん》をかさねて頂きました以上は、他家の御人とは思えませぬ。何国までも連れて行ってくだされればありがたいと存じます。吉岡の人数も残らずお連れくだされば、これ以上のしあわせはございませぬ」

と、頼んだ。

ここで、別れの酒宴になった。

はるかな後年、勝海舟が江戸開城のあと、薩摩人たちと歓談したとき、「薩摩人をのこらず捕虜にする方法はあったのさ」と冗談ともつかぬことをいい、一座をおどろかせた。海舟のいうところでは薩摩人ほど女好きで女にあまい者はない、だから吉原《よしわら》から岡場《おかば》所《しょ》をことごとく開いて薩摩人たちを蕩《とろ》かせてしまい、そのすきに包囲してしまえば手捕りに出来たのさ、ということだったが、この場合も符《ふ》が合っている。

「前途を祝い参らすべし」

といって、野村備中守たちをひきとめ女たちに酌をさせて時をすごさせるうちに野村はすっかり酔った。野村が千鳥足でひきあげて行ったあと、妙麟尼はかねて手くばりしておいた五、六十人の人数をしてひそかに乙津川付近まで走らせ、藪《やぶ》かげなどに伏せておいた。

三月八日が、島津方の鶴崎ひきあげの日である。野村はじめ三将は三千の士卒をひきいてひきあげるうち、乙津川で夜になった。そこを吉岡方に夜襲された。妙麟尼の手配りどおり村びとたちもこれに加わり、鯨波《とき》などをあげて人数の大きさを示したために島津方は闇《やみ》の中でくずれ散り、討たれる者、乙津川に落ちておぼれる者などさんざんの体《てい》で、野村備中守も重傷を負い、かろうじて落ちのびたが日向までゆかぬうちに死んだ。島津方で討たれた者は六十三人であり、吉岡方の討死はわずかに中村新助という者一人であった。

結局は、妙麟尼の勝ちになったらしい。

しかしこの勝ち方はどうもルール違反のような感じもするが、そこは女であるだけに勝敗に美をもとめるような必要はなかったのであろう。それにしても興醒《きょうざ》めするほどに強烈な復讐心《ふくしゅうしん》であり、ひるがえっておもうと、次男統定を島津に討たれたという恨みのつよさが、彼女をして大将の采配《さいはい》をとらせ、城を死守させ、また開城後、男の世界のルールならばすでに事は了《おわ》っているのになおそれをわすれず、酒色で敵をたぶらかし、ついには集団でもって闇討ちをするという手段をとらせるにいたったとみるほうが、どうやら妥当らしい。

三月二十八日、関門海峡をわたって九州に上陸した秀吉は、この日にこの鶴崎の妙麟尼の話をきき、大いに感心し、

「ぜひその尼を見たいものだ」

といったが、結局はその機会はなかった。もし妙麟尼が男ならばおそらく秀吉に拝《はい》

謁《えつ》してただちに十万石ほどの直参《じきさん》大名にとりたてられるということになったであろう。また彼女が若くて美貌《びぼう》なら秀吉のほうが捨てておかなかったにちがいない。

「年はいくつだ」

と、秀吉は、この話を伝えた者にきいたにちがいない。きいて、おそらくこの好色家は失望したかともおもわれる。

もっとも妙麟尼のほうからも、これほどの武功をたてていながら、秀吉に接触しようとはしなかった。べつに接触したところで女が大名になれるわけでもなかったし、しかも彼女の防戦はそれが目的でもなく、もし復讐が目的ならば右の次第で十分にそれをはたしたことになる。彼女はこのあとどのように暮したのか、彼女がどのような容貌、信仰、性格の婦人だったかがわからないようによくわからない。

見廻《みまわり》組のこと

新選組のことはよく知られている。ところが同時代に類似の目的をもつ組織として京都におかれていた見廻組についてはほとんど資料が残っておらず、その輪郭さえつかみにくい。

明治のいつごろか、京都府立一中で剣術教師をしていた人に、渡辺一郎というのがいる。府警本部にも教えにゆき、在郷軍人会主催の銃剣術大会にも頼まれて審判をつとめたりしていた。

「先生は、銃剣術はご存じないでしょう」

「手槍《てやり》とおなじようなものなら、すこしはできるかもしれません」

といって、試みに木銃をとって人と立ち合ったところ、たれもかなう者がいなかったらしい。品のいい小柄《こがら》な人物で、老いてからは一見商家の楽隠居といった感じの印象をあたえた。

なまりがあるが、生国はわからなかった。幕末の風雲時代には、柳馬場綾小路《あやのこうじ》下ルで「柳心館」という剣術道場を営んでいた。京都に剣術道場があってもふしぎではないにせよ、なにか妙な気がしないでもない。京都は文久二年以来、毎日のように流血さわぎがあって、凄惨《せいさん》なイデオロギー闘争の渦中《かちゅう》にある。その中で超然と剣術の町道場をひらいているという風景は、なにやら戦場で敵味方に小銃射撃法を教えてまわっているみたいで、多少不自然な感じがする。

老人は晩年はブリキ屋を営む息子——松原御幸町東南角——の家に身を寄せて隠居していたが、大正四年に死んだ。死ぬ前に、

「自分は見廻組にいた」

と、明かしたのである。

見廻組というのは新選組が浪士結社であるのに対し、直参《じきさん》の子弟から志望者を募って組織されていた。そういう建前だが、直参の子弟でそれを望むのがすくないため、末期にはだいぶ浪人を召募したりしている。

新選組なら近藤勇《こんどういさみ》にあたる職の組頭《くみがしら》というのが、大名であった。蒔田《まきた》相模守《さがみのかみ》広孝と

いう者で、蒔田家はわずか一万石とはいえ、代々備中《びっちゅう》に所領をもっている。が、蒔田相模守の組頭というのはごく形式的なことで、直接指揮はしていない。

じかに官営テロリズムの指揮をとっていたのは、よく知られているように直参の佐々木《ささき》唯《ただ》（只）三郎《さぶろう》であった。佐々木は末期には千石の旗本だったから組頭として通用していたが、実際の職名は与頭《よがしら》といったらしい。ついでながら見廻組には与頭の下に肝煎《きもいり》という職名があって、その下は伍長《ごちょう》。肝煎の職の者のなかに、渡辺吉太郎という名前がある。渡辺吉太郎のその後はいっさいわかっていない。ブリキ屋の隠居の渡辺一郎が見廻組にいたとすればこの吉太郎と同一人物のようにおもえるのだが、ざんねんながらこんにちともなれば確証はない。

「自分は見廻組の一員として坂本竜馬《さかもとりょうま》を暗殺した」

と、渡辺一郎は臨終の前に言い残し、懺悔のことばとして、大正四年八月五日付朝日新聞の第十一面に内容が出ている。竜馬は佐々木唯三郎指揮による見廻組の組織的行動によって殺害された。勝海舟が後年、「上司から命令が出たのだろう」と推測しているように、刺客《しかく》の隊長も刺客たちも、坂本竜馬とは何者かということは知らなかったようであった。政治的判断は上部でおこなっており、かれらは単に物理力として使われたにすぎないようである。

その刺客たちの名前は、明治三年に刑部省《ぎょうぶ》へ出頭した下手人のひとりである旧幕臣・旧見廻組幹部今井信郎の同年九月二十日付の供述書によれば、佐々木唯三郎、今井信郎、渡辺吉太郎、高橋安次郎、桂隼之助、土肥仲蔵、桜井大三郎であった。今井信郎と渡辺一郎のことばに誤りがなければ、渡辺一郎は当時吉太郎と名乗っていたらしいというのは、確実性が高い。

私は『竜馬がゆく』を書いていたとき、竜馬が誰《たれ》に殺されたかということについては黙殺しようと考えていた。下手人が誰であれ、あの当時の政治の大状況との関係をのぞいては竜馬個人とはなんの関係もなく、前述したような事情で交通事故というにちかい。しかしそれだけでは心もとないから資料といえるようなものは可能なだけあつめた。そのなかにブリキ屋の隠居の渡辺一郎関係のものも多かった。いま書斎をさがしてみたが、どこへしまったかよくわからない。で、私の記憶だけを頼りに書くが、渡辺一郎の談話に、以下のようなことがあった。

「見廻組が近く大物をやるというので、腕の立つ者を求めていた。そこで私のほうに話があり、やむなく参加した」

この談話について考える前に、見廻組について考えたい。というより、指揮官である佐々木唯三郎について考えてみる。

この非常警察組織についての記録がすくなく、たとえば組の隊員は四百名もいたという記録があるが、ちょっと信じられない。せまい京都にそれだけの人数がいれば相当の影響が、他の資料に痕跡《こんせき》として残っているはずだが、見廻組については、この組織の成立以前に佐々木唯三郎らが幕命（一説には老中《ろうじゅう》板倉勝静《いたくらかつきよ》の命令だという）によって、文久三年四月十三日、江戸赤羽橋付近の路上で清河八郎《きよかわはちろう》を殺したということと、組織成立（元治《げんじ》元年四月二十六日、京都で）三年後の慶応三年十一月十五日夜、坂本竜馬を河原町三条下ル蛸薬師《たこやくし》角の止宿先に襲ってこれを殺したという以外、活躍の痕跡をのこしていないのである。

四百人という人数は誇張かもしれない。

あるいはそれだけ居たとしても、無為徒食していたのかもしれない。応募資格が旗本の次男、三男坊という、一般的にみてエネルギーの衰弱した階層の出身者に限ったということがこの組織の作動を不活発にしたのかもしれない。一方、浪士組である新選組は、その母体を清河八郎がつくった。攘夷《じょうい》の先鋒《せんぽう》となる志士をつのるということがスローガンであったために、江戸三百年間、階級制度の重圧で鬱屈《うつくつ》していた野のエネルギーが、乱をもとめてむらがりあつまってきたという観がある。新選組の隊士のほとんどが、農民の出か、それにちかい階層の出身者で、この秩序混乱期にあっては、かれらは「志」というパスポートを一枚もつだけで階級を透過することができ、士装の階級世界に入ることができた。もっとも志はパスポートといっても、一片の紙きれではなさそうである。絶えず、その所存を他へ示さねばならなかった。示す方法は言説でなく、勇気である。新選組が志士結社である以上、たえまなく勇気は示されねばならなかった。かれらが、見廻組よりもはるかに強かったのは、そういう理由による。さらに新選組は、個々の勇気だけでなく結社そのものの勇気も、外部に誇示してみせなければならなかった。そのために近藤勇と土方歳三《ひじかたとしぞう》が、他に類のない活動的な組織をつくり、その組織がつねによく作動するために内部の勇気群をたえず刺激し、一つ目的にむかって集中させるという方法をとった。

見廻組は、そういう組織ではない。たとえば幕府の書院番といったような、旧来の江戸期的な官僚組織のままでできあがっている。その構成員も幕臣である以上、階級上昇の熱情などはない。さらに江戸の旗本社会においては、いくつかのわずかな例外をのぞき、日本国家の運命についての危機意識が、他の諸藩にくらべておどろくほどに低く、そういう日常的社会から出てきた次男、三男坊に、志士であることを期待するのはむりであった。

「非常の時には非常の士を必要とする」

というのは、当初、浪士組の結成を幕府へもちかけた清河八郎の建白書の趣旨だが、見廻組の隊士は非常の士ではなく、ごく日常的な士たちであった。

このため佐々木唯三郎は、四百人を組織としてうごかすことは、あきらめていたにちがいない。かれの配下の多くがどうやら粗漏な連中のあつまりだったらしいということは、かれの最期《さいご》の状況をみても察しうる。かれはのちに鳥羽《とば》・伏見《ふしみ》の戦《たたかい》で銃弾による負傷をし、二十人ばかりの従者をひきつれて紀州まで退去し、紀三井寺の滝之坊で療養中に死ぬのだが、臨終にあたって自分の回向料《えこう》として百両を従者にわたした。ところが従者たちはその回向料を賭博《とばく》や酒色につかってしまい、寺には半分も渡さなかった。末期の見廻組が、幕臣社会からの隊士補充がうまくゆかず、そのあたりのあぶれ者をあつめたようで、この従者というのもそういう連中かもしれないが、いずれにしても、新選組のような、よく磨《みが》かれた機織《はたおり》の機械のような組織ではない。

そういう事情から佐々木唯三郎は、幕府筋から特命があった場合、そのつど腕ききの者をえらんで出動したように思える。逆にいえば、新選組のようにいつかなる場合でも組織が機敏に動き、それも組織ぐるみで動くということは見廻組にはなく、このためにその日常活動がつい不活発になってしまっていたといえるかもしれない。この組織ができあがってからの活動上の痕跡が、坂本竜馬殺しぐらいのものであったというのも、そういう事情からであろう。

見廻組が、坂本竜馬をやれという命令（命令者は幕府の目付榎本対馬守《えのもとつしまのかみ》道章ではないか、と勝海舟は後年推測している）を受けたとき、よほど用心した。渡辺一郎の話が真実であるとすれば、かれのような町道場主にも助勢の声がかかっているのである。

もっともこの場合の疑問は、ただの町道場主が、ただ腕だけを買われるという状況のもとで早速人殺しの加勢に駆けつけるということがありえるだろうかということである。渡辺一郎は、渡辺吉太郎と同一人物なら、見廻組の肝煎という幹部なのである。

その幕府官吏が町道場主になりすましている、というところに小説ならば想像がはたらく。つまり秘密党員というべき存在で、そういう立場を利用して道場に来る諸藩の連中や浪士たちから情報を得るということもあったかもしれない。

ただし、渡辺一郎の言葉どおりなら、かれはただの浪人剣客かもしれない。そのころの町道場は、ごく自然のうちに政治色がついた。これより前、江戸の斎藤弥九郎《さいとうやくろう》道場や、千葉道場が反幕傾向の若者が多く出入りして、相互影響によって左傾して行ったように、そういう状況からいえば京都の柳馬場綾小路下ルの渡辺の道場は佐幕傾向のつよい連中の出入りしていた道場だったかもしれず、道場主の渡辺自身、その傾向のひとであったかともおもわれる。

当時、長州人や長州的傾向の「浮浪」というものを憎悪《ぞうお》する人が多かった。浮浪の志士たちは文久二年から三年にかけて京都市中で人をほしいままに殺傷して市中を無警察状態におとし入れた。新選組や見廻組の成立は、その反動である。この非常治安機関の力で、京都は治安を回復した。ところが元治元年夏に長州藩は軍勢を仕立てて大挙乱入し、市街戦をやり、敗退はしたが、この戦火で京都の大半は焼けてしまった。こういう形での愛国運動というものにひとびとは疑問をもち、文久元年以来、流行病患者のように簇生《そうせい》した浪人志士というものにいやけがさすという傾向が出てきた。

そういう浪士の一人である坂本竜馬でさえ、このような自分自身をふくめて連中は無用の長物だと思うようになっている。かれは元来、浪士のくせにつねに浪士対策をやりつづけていたというふしぎな人物で、勝海舟をかついで神戸《こうべ》海軍塾《じゅく》をひらいたのも、そうであった。京都あたりで空疎《くうそ》な政論をやりあって日を送っている浪士たちをひとまとめにして航海術を学ばせるということをやった。この海軍塾が幕府ににらまれて閉鎖になったあとは連中を長崎につれてゆき、そこで亀山《かめやま》社中という私設海軍兼貿易商社のようなものをおこし、それが海援隊に発展する。

かれは幕末の末期に、革命の暴力化――鳥羽・伏見の戦のような――を避けるべく大政奉還という、一種魔術的な時勢収拾策をうちだし、これが成功した直後、本来ならかれを恩人としてありがたがってもいい幕府側から殺されてしまうのだが、この成功の前後、

「もう浪士は不要になる。ひとまとめにして北海道に屯田兵《とんでんへい》として入植させよう」

と考え、ただ考えただけでなく海援隊の二、三人をえらび、下調査のために蝦夷《えぞ》地へ出発させている。かれのもくろみには、浪士三千人を入植させるという数字まで入っていた。三千人も浪士が京都を横行していたかどうか、実際の数字はせいぜい三百人ぐらいだったかもしれない。しかしかれは三千人という数字をよく口にした。

このことが、幕府の密偵《みってい》の耳に誤伝して、三千とか五千という数字になり、内容も、

「土佐の豪俠《ごうきょう》坂本竜馬が、浪人五千をひきいて入洛《じゅらく》する」

という、話の筋まで暴動的なものに変っていた。幕府側がこれにおどろき、おそらく密偵組織を総動員したにちがいない。その大暴動の張本人はどこにいるのかとさが

したところ、河原町の醬油《しょうゆ》屋近江《おうみ》屋を下宿にしている男がそうだということになって、襲撃方を見廻組に命じたらしい。坂本竜馬の不幸は大政奉還を着想してそれを成功させた歴史的プランナーとして殺されたのではなく、新時代に不要になるはずの浪士群を始末しようとし、それが京都で大暴動をひきおこすというふうに誤伝され、その滑《こっ》稽《けい》な風説によって殺されたというところにある。

大暴動を計画している親玉となれば、よほどの大物である。大政奉還前後の京都における幕府要人たちはよほど気が立っていたはずだが、同時に親幕的な諸藩に対してはずいぶんこまかしく気遣っている。土佐藩の上層部は親幕的であった。坂本を殺すことによって土佐藩の機嫌《きげん》を損ねることも配慮したはずで、このために新選組を使うことなく、幕臣としては身内の見廻組をつかったのかもしれない。「佐々木にやらせておけば口がかたいはず」という計算があったのかもしれないのである。

そこで佐々木が刺客を精選し、ブリキ屋の隠居——この当時は町道場主だが——も、それに参加するということになる。

佐々木唯三郎は新選組のように作動性の高い組織をつくる能力はなかったが、しかし刺客団の指揮者としてはどすのきいた玄人《くろうと》であったように思える。かれのやり方は、手口に関するかぎりひどく奸佞《かんねい》な人格を想像させて、あまり好意を持てそうにない。たとえば新選組のほうがまだしも多少は計算外に身も挺《てい》してゆくといったふうの賭博的なところなどもあって可愛気《かわいげ》とかさわやかさとかを感じれば感じられたりするところもあるが、佐々木唯三郎の場合はそういうぐあいではない。

清河八郎殺しで、そのことがわかる。

「いよう、これは清河先生」

と、白昼、路上で、佐々木はめざす清河に声をかけたらしい。

この日、清河は麻布《あざぶ》一ノ橋の上山《かみのやま》藩邸に友人をたずね、そこで酒食のふるまいを受けた。朝から出かけて午後四時までそこにいた。相当酔ったに相違ない。酔った上に清河は数日前から寝込むほどの風邪をひいていて、体の調子がよくなかった。佐々木らは尾行《つけ》ていて、清河がそこから出てくるのを待っていた。一ノ橋から赤羽橋にいたる道路の左側に空地があった。その空地に茶店が一軒出ていて、佐々木らはそこで待った。道路をへだててむかいには、柳沢の屋敷がある。要するに現場は天下の公道である。

佐々木は幕臣が公務に出役するときの正装である白緒の陣笠《じんがさ》をかぶっていた。これが、手品のたねであった。佐々木の仲間の速見又四郎という男も講武所の剣術指南方で、これも陣笠をかぶっている。他《ほか》に四人の剣客がいた。佐々木はこの四人に対し、

――清河を背後から斬《き》れ。

と、言いふくめておいたらしい。

ついでながら、佐々木も速見も清河の旧知であった。清河がかつて幕府に働きかけて浪士組（のち新徴組と新選組にわかれる）を結成させたとき――清河が幕府を利用したペテンだったのだが――幕府側から数人の担当官がこの浪士組の世話役として任命された。鵜殿鳩翁《うどのきゅうおう》を最高責任者として、その下に取締として山岡鉄太郎、松岡萬、速見又四郎がいた。さらにその下に取締並《なみ》出役ということで、当時の佐々木唯三郎も加わっていた。要するに旧知が、意外なところで出遭ったというふうに、佐々木はわなを仕組む。呼びかけの敬称は、佐々木自身が堂々たる幕臣であるために清河さんでいい。しかし出羽の豪農のせがれの浪人身分にすぎない清河をわざわざ先生とよんだのは、以下のしぐさをするためである。

先生と敬称した以上、佐々木は路傍ながらあいさつは陣笠をとっておこなう。げんに佐々木も速見も、あごに両手をかけて陣笠のひもをゆっくり解きはじめた。江戸末期の人間にはこの種の狡猾《こうかつ》がどうやら愧《は》ずべきことではないといったふうになってい

たらしい。他にも例がある。
一方、清河は、外出のときの癖で、この日も編笠をかぶっていた。清河にすれば相手の佐々木が陣笠をとろうとしている以上、自分も編笠をとらねばならない。編笠をとるには両手をあごにもってゆかねばならない。佐々木のほうからいえばそれがわなだった。清河は右手に鉄扇をもっていた。鉄扇をもったまま右手をあげ、左手をそえた。

その瞬間、背後にまわった四人が斬りつけた。清河は地面を抱くようにして倒れた。清河の側からすれば憎むべき卑怯《ひきょう》さだが、佐々木の側からすれば味方に傷《て》を負わせずに敵を倒すための知恵であるということになるかもしれない。かつて北辰《ほくしん》一刀流の町道場までひらいたことがあるという強豪の清河が、このわなによって、声もあげずに斃《たお》された。清河が刀のつかに手をかけるゆとりもなかったことは、うつむけに倒れているその死《し》骸《がい》の右手のそばに鉄扇が落ちていたということでもわかる。

佐々木唯三郎の情熱というのは、かれが江戸育ちの、ただの幕臣の若様あがりならばこのようなぐあいではなかったかもしれない。

かれはじつは、会津藩士の出である。

藩で与力《よりき》の家柄《いえがら》だった佐々木家（父は源八）の三男にうまれ、会津若松にそだった。佐々木家の長男直右衛門《なおえもん》は、父源八の実家だった手代木《てしろぎ》家を継いだ。このため家は次男の主馬《しゆめ》が継ぎ、三男の唯三郎は江戸へ出てやがて旗本の佐々木矢太夫の養子になった。二十七、八のときらしい。この縁組にはやや奇異の観があるが、しかし会津の佐々木家とこの幕臣の佐々木家とは縁戚《えんせき》関係にあったらしいということで、このくだりはわずかに落ちつく。いずれにせよ陪臣《ばいしん》の家から出て旗本の家を継ぐなど、江戸体制が堅牢《けんろう》なころにはまれなことであった。幕末になるとそういう例がすこしは出てくる。要するに唯三郎の所属階級は飛躍したのである。ふと思うのだが、かれが代々の旗本の家にうまれていればかれはあのような人生を送らなかったかもしれない。

幕末に世に出て、ほろびゆく徳川家に対しオクタン価の高い忠誠心を発揮した幕臣の多くは唯三郎のような越階《おっかい》者である。洋学で幕臣にとりたてられた大鳥圭介《おおとりけいすけ》、医学で奥医師まで進んだ松本良順、尾張《おわり》あたりから出てきて幕臣の家を継いだ永井尚志《ながいなおのぶ》、名前をあげてゆくときりがない。かれらは先祖が幕臣になったのではなく、自分自身が新規に幕臣になるという感激を体験したし、その感激は同時に衰えゆく幕威に対する悲嘆になり、ときには幕府に仇《あだ》をなす反幕勢力や分子に対する激しい憎悪になったにちがいない。佐々木唯三郎などはとくにそうであったであろう。

とくにそうだというのは、かれは他の幕臣とはちがい、会津藩の子弟教育をうけていたからである。

江戸期の藩というのは薩摩藩をのぞいてはさほどの個性がなく、会津藩のような藩はめずらしかった。きわめてめずらしいことにこの藩は一個の思想藩であった。江戸初期の藩祖松平《まつだいら》（保科《ほしな》）正之《まさゆき》が濃厚な思想的体質のもちぬしで、当時第一級の思想家でもあった。会津松平家を創設したとき、かれは自分の思想をもって藩法と藩風と藩士教育のすべてを律した。いかに会津藩が思想的であったかという一例をあげればこの藩は幕藩体制における国家論さえ藩自体がもっていたほどである。

正之は藩の憲法ともいうべき家訓《かきん》十五条をさだめた。この家訓は江戸期を通じて会津藩士にとって絶対のものであった。説かれていることといえば「武備ハ怠ルベカラズ」とか「兄ヲ敬シ弟ヲ愛スベシ」とか「婦人女子ノ言ハ、一切聞クベカラズ」といったふうのごく当り前のことであったが、第一条が異様である。

「大君（将軍のこと）ノ儀、一心大切ニ存ズベシ。忠勤シテ、列国（諸藩）ノ例ヲモツテ自《みずか》ラ処スベカラズ。モシ二心ヲ懐《いだ》クアラバ、ワガ子孫ニアラズ。面々、決シテ従フベカラズ」

とある。

江戸期の諸藩は譜代・外様《とざま》を問わず、徳川家が抜群の勢威を持つがために服していたにすぎず、徳川家においても諸侯の服従を要求しこそすれ、倫理的忠誠にまで立ち入ってそれを要求することはなかった。まして諸藩の藩士においては、自分の藩主をとび越して将軍に忠誠心をもつという倫理はなく、武士の忠義というのはあくまでもその直接の主《あるじ》をのみ対象としている。ところが会津藩にあっては将軍に忠誠心をもて、というのである。もしそのときの藩主にして将軍に対し二心を抱くようなことがあれば「面々、決シテ従フベカラズ」で、藩主を無視してもいいという。これは堂々たる一個の国家観から出ているもので、他にこういう例は、家訓自身も「列国ノ例」という言葉でふれているようにまったくない。

この藩が、文久三年、藩ぐるみで京都守護職を命ぜられたときに、時勢が日に日に幕府側に不利ながらもあくまでも幕府を佐《たす》け、鳥羽・伏見の戦においては徳川軍の中核としてもっとも奮戦し、もっとも大きな被害をうけ、最後には津々浦々が官軍になってしまったとき孤《ひと》り会津若松城に籠城《ろうじょう》して戦うのである。幕末における会津藩は特異であったが、その創設のときから特異であった。

佐々木唯三郎はこの藩のうまれでなければ、殉教的テロリストの道を歩むことはなかったであろう。

「大君ノ儀、一心大切ニ存ズベシ」

という会津人の伝統的な気持は、かれの場合、将軍の直参になることによってより直接的なものになった。元来、幕臣そのものの社会には将軍への忠誠心を教育する学校もなければ、それを強要する倫理綱要もない。幕臣はのんびりと自分が幕臣であることの身分を享受《きょうじゅ》しているだけでよく、このためにあれだけの幕府が亡《ほろ》びるとき、幕臣たちの反発は上野の彰義隊《しょうぎたい》程度のもので終ってしまったのである。それより前に新選組の反発があるが、この組織の幹部は農民あがりであり、農民あがりといえば彰義隊の組織者である天野八郎ですら農民あがりで、幕臣でなかった。幕臣というのは大方はそういうものであり、佐々木唯三郎のような、ひとり身を挺《てい》してテロリストになるという存在がいかに特異であるかということは、かれのもちまえの気質はさることながら、右のような出身事情を考えあわせなければならない。

佐々木唯三郎の剣術については、流儀が精武流というほかはよくわからない。しかし講武所の剣術教授方をつとめていたというから、尋常一様のものではなかったに相違ない。教養については歌が幾首か残っている。「先がけて折れし忠義のふた柱くづれんとせし軒を支へて」。軒を支へてというのは俗なように思うが、かれは国学を鈴《すず》木《き》重嶺《しげね》に学んだというから歌学の素養は相当あったかにおもわれる。また浪人国学者の長野《ながの》主膳《しゆぜん》とも親しかったらしい。長野主膳は混乱期によくありがちな異常性格とか言いようのない政治マニアで、井伊直弼《いいなおすけ》の懐《ふとこ》ろ刀になり、京都情勢を内偵《ないてい》し、反幕主義者のリストを作りあげて井伊に報告し、井伊をして安政大獄という、日本史上あとにもさきにもない大弾圧をやってのけさせた人物である。佐々木が、長野主膳の暗い情熱のようなものに惹《ひ》かれたとすれば、佐々木自身にも気質的にそういう要素があったのではないか。安政大獄は井伊自身が桜田門外で白昼殺され、そのあと文久二年、同年の勤王派の報復的なテロリズムの時代をつくるという結末になったが、さらに作用と反作用の関係はつづき、文久三年初夏で勤王派の報復的テロリズムが終ったあと、新選組・見廻組による幕府派のテロリズムが復活するのである。その意味からいえば、佐々木唯三郎は長野主膳の正統の後継者であったかもしれない。

かれが京都で見廻組を創設する前年に、会津藩が京都守護職機関として京都に常駐した。この会津藩には公用方という外交と情報を担当する局があって、佐々木唯三郎の実兄の手代木直右衛門がその主任格になっていた。直右衛門は教養もあり性格も重厚で、体も大きく、人に重んぜられるようなところがある。それに江戸留守居役もつとめた経験があるため渉外役にはうってつけといっていい。

この手代木直右衛門の子は幾人もいるが、幕末当時幼女だった元枝という娘が長命して、佐々木唯三郎の印象を語っている。その遺談が唯一《ゆいいつ》の唯三郎の風貌《ふうぼう》についての記憶である。

体格は、かれの兄弟はみな大男だったが、かれだけは中肉中背で、笑うと可愛らしいえくぼができたという。仕事のほかは和歌程度が趣味で、あとのことは、たとえば京都時代、兄の手代木家にきても甥《おい》や姪《めい》たちの名前さえおぼえなかったという。羽振りは相当よかったらしく、手代木家にくるときは騎馬で、馬丁や下僕《げぼく》を数人つれていた。

かれが指揮した坂本竜馬殺しについてはここで詳しくはふれないが、その奇襲についての計画の綿密さはあまり綿密すぎて不愉快さをおぼえるほどである。

坂本の在宅を偵知すると、最初、七人で訪問している。十津川郷士《とつがわごうし》であると偽称したらしい。坂本はいたのだが、どういうわけか不在のように伝わった。このため近江屋の近所に厳密な見張りを張り、伝令をのこし、佐々木以下七人の刺客《しかく》たちはごく近所の先斗町《ぽんとちょう》の瓢亭《ひょうてい》で待った。四時間ほどそこにいると、一人の武士が近江屋へ入ったという。中岡慎太郎《なかおかしんたろう》である。日が暮れてから少年が入り、さらにもう一人の武士（土佐藩士岡本謙三郎）が入り、ほどなく少年と武士（岡本）が出てきた。それらの人の出入りからみて佐々木は坂本が在宅していることを知った。

かれらは訪問し、薄暗い一階土間に入り、下僕に十津川郷士であるという名刺をわたした。下僕は取りつぐために階段をあがった。刺客たちはそれを追って駆けあがった。

坂本のそばに刀がなかった。致命傷をうけつつ、「石川（中岡）、刀はないか」といった。乱刃をくぐって刀をとりに行き、刀をつかみはしたが抜くまもなく、一度は垂直に立てて防ぎ、勢いあまってコジリが天井を突きやぶったほどであった。刺客がいかに腕達者だったかといえば、竜馬が受けとめたその鞘《さや》ぐるみの刀を、打ちこんだ刀でもって鞘を削《そ》ぎ、刀身まで削いだということでもわかる。坂本は初太刀で頭をやられていた。ほどなく死んだが、中岡のほうはめった切りにされながらも意識があった。数日生きてやがて死ぬのだが、このかすかな意識の中で、立ち去ってゆく敵が小謡《こうたい》と

詩吟をうなってゆくのを聴いたという。中岡はあとで土佐藩の者にそれを語り、

「大したものだ。幕府に人なしと見くびっているとひどい目にあうぞ」

と賞讃《しょうさん》したというから、中岡もそういう味なやり方が好きだったのかもしれない。刺客の一人が階段を降りつつ岳飛《がくひ》回駕《かいが》の七絶を吟じ、佐々木が路上に出てそれに和し、小謡を謡《うた》ったとも伝えられる。殺すも殺されるも、双方、スポーツのように乾いた気持があったのかもしれない。


この下手人はながく知られず、新選組のしわざだと信じられていたが、前記今井信郎の自供によって見廻組ということがわかった。


唯三郎の実兄の手代木直右衛門は長命して明治三十六年に没した。大泉荘客という人の「手代木直右衛門伝」によると、直右衛門は死ぬ直前に、

「あれは唯三郎がやったもので、命令は某諸侯から出た」

と語ったという。某諸侯というのは京都守護職松平容保《かたもり》だという説があるが、容保がそういう実際の業務について指揮をするということは考えられないから、会津藩関係だとすればこの藩の重役が評定《ひょうじょう》してきめたにちがいない。すると実際の担当官は手代木直右衛門で、かれが弟にその命令内容をつたえたことになる。その間のことはよくわからないし、穿鑿《せんさく》することもいまとなれば意味はない。

要するにこの事件は坂本・中岡にとっては交通事故にひとしく、歴史的にいえば坂本は薩摩案による鳥羽・伏見の戦というクーデター戦に反対しつづけていたためにそれを苦に病んでいた薩摩側にとってはこの点では都合がよかった。一時は薩摩側が殺したという説があったほどであった。ところがそのあと佐々木唯三郎が坂本が防止しようとした鳥羽・伏見の戦で銃弾をくらい、瀕死《ひんし》の重傷を負い、紀州に退却して死ぬことになるということを考えると、めぐりあわせに妙なものを感じる。坂本が生きていれば鳥羽・伏見の戦は遅く起ったか、あるいは別のかたちになったに相違なく、自然、佐々木唯三郎の生死もかれが実際そうあったような形ではないものになっていたかもしれない。銃弾は腰にあたり、腰骨にとどまった。

負傷した佐々木唯三郎は、大坂から紀州の紀三井寺まで、葵《あおい》の定紋を打った長持に入れられて担送された。大坂を出るとき配下は二百人ほどいたが、次第に減った。慶応四年（明治元年）正月十二日、紀三井寺の滝之坊で死んだときは、身のまわりには二十人ほどいたにすぎない。死後、それも散った。位牌《いはい》も墓も滝之坊にある。位牌には唯三郎となっているが、墓のほうは只三郎である。行年三十六歳となっている。

黒《くろ》鍬《くわ》者《もの》

徳川慶喜《とくがわよしのぶ》が鳥羽《とば》・伏見《ふしみ》の戦《たたかい》で敗れて江戸へ逃げ帰ったあと、旧幕府の洋式歩兵や諸隊が動揺した。

やがて旧新選組が、甲州鎮撫隊《ちんぶたい》というふれこみで三月一日に江戸を出発し、甲府にむかうのだが、八王子をすぎて猿橋《さるはし》までくると、西からくる官軍が甲府盆地にせまっているという情報を得た。

幹部に、永倉新八がいる。かれは維新後、杉村義衛と名を変えて小樽《おたる》に住み、大正四年に病歿《びょうぼつ》するのだが、その子の杉村義太郎が永倉の閲歴談を基礎にして編んだ「永倉新八」（昭和二年・自費出版）によると、隊長の近藤勇は勝沼まで進んだものの、ここで途方に暮れたようである。味方は人数が二百人ぐらいである上に、その内実は江戸で狩りあつめた人足に銃をもたせただけのにわか兵隊たちであった。とうてい、土州を主力とする諸藩の正規部隊に勝てそうになく、しかもこの敵情を知ってにわか兵

隊たちが動揺し、このままもときた道をひっかえそうとした。近藤は窮したあまり、

「味方をだますほかない」といって、

「援軍として会津兵三百が明朝到着する」

と、永倉らに言わせた。このため陣中は、一時鎮《しず》まった。しかし援軍が来なければ、にわか兵隊たちが散ってしまう。このとき耳よりな情報が入った。神奈川あたりまで旧幕の一隊が来ているという。隊の通称は菜葉《なっぱ》隊だというのである。かれらは菜葉色の筒袖《つっそで》を着ていたから世間がそのように呼んでいた。山野の緑色にまぎれさせるための工夫だったとすれば、カムフラージュの思想が西洋の軍隊でおこるよりよほど早かったといえるかもしれない。

このとき、副将格の土方歳三《ひじかたとしぞう》が、

「私がよんできましょう」

といい、馬一頭をひき出して陣営を離れた。このため土方は三月六日の勝沼の敗戦を経験せずに済んだ。勝沼では近藤の隊はほとんど一戦で乱離骨灰《らりこっぱい》のようになった。近藤は笹子《ささご》峠で敗勢をたてなおそうとしたが、まわりに兵がいなくなった。兵たちは近藤を見放し、勝手に退却してゆく。近藤は青梅《おうめ》街道の吉野《よしの》村まで味方の兵を追って行って説得しようとしたが、かれらはきかなかった。

「兵糧《ひょうろう》の支度もしていないじゃありませんか。そんなばかないくさがあるか」と、武装人足たちは口々にいったらしい。はじめ近藤は兵糧は甲府城の蔵のものをつかおうとおもって行軍日程だけの量しか用意させていなかった。その甲府城を官軍に先取りされてしまった以上、食うものもなくなった。人夫のいうように、まったくくだらないいくさだった。近藤はどうやら勝海舟にだまされたらしく、「旧幕府の直轄《ちょっかつ》領として甲府百万石を君にあげよう」ということで、体よく江戸を追っぱらわれた。永倉の談では近藤はそれを信じ、本気で大名になるつもりだった。さらに永倉の談では、このあと江戸に逃げもどってから近藤が、「君らが私の家臣になるなら云々《うんぬん》」ということをいって永倉を怒らせたらしい。近藤というのは得意の時期にあっては魔力的な力量を発揮したが、底を割ってしまえばこの程度の人物だったようにもおもえる。永倉らは当然、「あなたと私どもは同志であって、主従ではない」と憤慨し、会津をめざすべく近藤と別れてしまうのだが、近藤はこの「家臣云々」のときは、京都での銃創が膿《う》むために和泉橋《いずみばし》の医学所に入院していた。この会話のときも、土方は帰っていない。勝沼から神奈川まで菜葉隊をさがしに行ったままである。結局は話がつかなかったらしく（話がついても勝沼の一戦には間に合わなかったが）江戸へひとり帰ってきた。医学所に近藤を訪ねたときは、永倉らが離散してしまったあとだった。

さて、菜葉隊のことである。

私はかつて土方歳三のことをしらべているときに、この菜葉隊が気になった。

「菜葉隊というのは、旧幕臣江原素六《えばらそろく》がひきいていた」

ということを、いまは出所が思いだせないが、どこかで見た記憶がある。このため江原素六のことを調べたのだが、ところが江原はどうもその時期には神奈川にいないのである。

江原素六は、瓦解《がかい》後の三月一日付で、徳川軍の撤兵頭並《さっぺいかしらなみ》になった。少佐に相当し、大隊長だった。兵営はいまの宮城前広場あたりがそうであるらしい。西丸《にしのまる》下の屯所《とんしょ》である。新選組が甲州鎮撫隊として勇んで江戸を出て行ったことが、江原らの洋式軍隊を大いに動揺させた。江原はむしろ士卒の動揺をおさえていた。いずれにせよ、江原は神奈川にはいないということがわかった。『燃えよ剣』を書いているときこのあたりの情勢がよくわからず、主人公の土方が神奈川にゆくものの、そのあたりの描写に自信がなく、結局、勝沼の戦闘前後のことは近藤のことを多く書き、かんじんの土方についてては省筆した。

わからなかった理由のひとつは、江原素六にとらわれていたことにもよる。江原がこの時期、西丸下にいて神奈川にいないとわかれば神奈川にいる部隊の隊長は別の人間であるとおもうべきであった。ところが江原のことを調べているうちにこの人物にかかずらわった。彼がじつにおもしろそうな人物のように思えたのである。原稿を書く手をとめて、江原を調べることに熱中した。しかしいかに面白《おもしろ》い男だといっても西丸下にいる江原をいかに小説でも神奈川には持ってゆけず、このあたりが、わずか百年前の人物や事件を小説にあつかう場合のつらさであった。江原の所在は厳然として西丸下である。神奈川で土方と会わせるわけにゆかない。

もっとも土方は神奈川では断わられた。このため江戸で救援軍を得るべく走り、江戸に入ってから西丸下で江原に会わせることぐらいは許されていい。しかし江戸に入った土方は勝沼での敗北をそこで知ったはずだから、江原に会う理由をうしなう。土方としては医学所に入院している近藤の様子を見にゆくほうが先決であるはずであった。そういう前後の条件や事情から考えて、江戸でも江原に会わせる必要性がうすく、結局は小説の上での江原素六の登場をあきらめざるをえなかった。

しかしながら、事実の上では、土方は江原に会っていたかもしれず、その可能性は十分にある。江原のほうの資料に、土方と会ったという追想記事がないだけである。江原という、当時まだ二十代の洋学青年の思想なり時勢観なりから考えて、かれは新

選組などにさほどの興味をもっていない様子なのである。会ったところで、

「私のほうも隊内事情が入りくんでおりますので」

と、婉曲《えんきょく》に断わったにちがいない。しかし江原もこのあと、隊士に突きあげられて官軍に対する抵抗戦闘を指揮することになり、関東に転戦する。小規模の戦闘においてしばしば勝ったが、負傷したために江戸に潜伏した。その後、徳川家が静岡県に移されたときに江原もあとを追い、乞食《こじき》のような姿で静岡にゆくのである。静岡につくと、すぐ撤兵頭に昇進した。大佐に相当する。静岡藩の少参事にもなった。というようなことからみても、年若いが筋の通った人材だとおもわれていたのであろう。江原は戦術家というより軍統率者としての器才があった。若いくせに老《ふ》けてみえたのは、沈毅《ちんき》な人柄《ひとがら》によるらしい。静岡では、かつての旗本たちが小屋掛けをしたり、農家の物置を借りて住んだり、ひどい暮しだった。江原がなにかの用事でそういう一軒をたずねたとき、ひとびとが、

「あれが江原だ」

と、ささやきあっていたというところからみると、卑賤《ひせん》の御家人《ごけにん》の子から身をおこして洋学官僚として立身した江原をうらやむというよりも、

——あの男ならこの窮状をなんとかしてくれるのではあるまいか。

という期待があったことにもよるようである。もっとも江原は世間のそういう面の期待に生涯《しょうがい》応《こた》えることがなかった。旧幕臣出身というハンディがあったからではなく、ひとつには栄達についてひどく無欲なところがあったからにちがいない。

そういうわけで江原素六のことを『燃えよ剣』を書くあいまに調べていたとき、江原そのひとも面白かったが、それ以上に幕末における最下級の直参《じきさん》の生活の一例がよくわかっておもしろかった。

江原家は、「黒鍬《くろくわ》」という最下級の御家人の出である。伊賀同心より卑《ひく》い。ふつう「黒鍬の者」とよばれた。

戦国期には、諸大名は戦闘員のほかにこういう労働力をもっている。合戦がすむと飛び出して行って死体を片づけたり、遺棄兵器を始末するなど、戦場掃除をするのである。平時には城普請《しろぶしん》などの非技能的労働にも従事する。戦争がはじまると予定戦場への道路を見に行って道路が大部隊の通過に適しないという場合は大いに鍬をふるって道普請をする。ついでに敵情偵察もし、放火もする。ふつう戦闘に加わることがなく、身分上でいえば最下級の戦闘員である足軽よりもずっと下である。その補充は、足軽の場合と同様、領内の農民から希望者をとってゆく。ときにむりやりに徴発されるという場合もあったにちがいない。

もっとも、

「穴太《あのう》の黒鍬」

といって、近江《おうみ》のびわ湖のほとりの一集落に定住しているひとびとをさす場合もある。この黒鍬衆は石垣《いしがき》作りに長じ、戦国後期になって城が石垣をめぐらすようになってから諸国の城普請にやとわれて行ったりした。信長の安土《あづち》城の石垣も穴太の黒鍬がきずいた。秀吉の大坂城の石垣も、おそらく穴太の黒鍬のしごとではなかろうか。

ついでながら、明治初年に洋式陸軍がつくられるとき、工兵科も導入された。

「わが戦国のころの黒鍬のようなものであろうか」

というふうに理解されたらしいが、やがて工兵が高度の土木技術を必要とすることがわかってきて、初期の士官学校教育においても、数学的才能に富んだ者をこの科にふりあてた。薩摩系の軍人の野津道貫《のづみちつら》が、郷里から士官学校に入るべく出てきた上原勇作という書生を応接し、上原の頭脳が緻密《ちみつ》であることを見こんで、

「工兵科へ行かんか」

とすすめた。そこまで認識があらたまった。

徳川家康がまだ三河《みかわ》の一大名にすぎなかったころ、当然ながらかれも黒鍬の者を抱

えている。そのなかに、江原素六の先祖もいた。

江原家では、

「元来、この家が三河にあったころは土民ではなく江原村の地侍であった。ところが一向一揆《いっこういっき》（家康の二十すぎのころの国内争乱）で一揆方に加担し、主家にそむいた。乱が鎮まってから帰参をゆるされたが、その罪で黒鍬の者におとされてしまった」

というふうになっている。しかし家康の若年のころにおこったこの宗教騒動では、家康の家臣団のほぼ半数が一揆方に奔《はし》った。家康がこの武装蜂起《ほうき》を鎮める上で信じがたいほどの寛容——政治的計算から出たものとはいえ——を示したのは、一揆方の一命の安全を保証しただけでなく、身分や家禄《かろく》はもとどおりというぐあいの手を打ったことであった。このことで、乱はしずまった。約束は実行された。しかし江原だけが、士格でしかも小人数の郎党をひきいる地侍の身分から黒鍬におとされたとあれば、それは異例のことである。事実なのか、家系伝説としてのみそう装飾されてきたのか、よくわからない。

いまひとつ、ひっかかるところがある。

三河の江原村というのは、いまは西尾市の東方四キロのところにある。あるいは新幹線の矢作《やはぎ》川鉄橋を基点にすれば、その西南方五キロの田園のなかにあり、江原村の西側を細流が三河湾にむかってながれている。この細流が、矢作川の古いほうの流れであり、家康のころは大河であった。この川はしばしば決潰《けっかい》し、はんらんした。自然、この川の下流にある江原村の農民は堤防工事に熟しており、黒鍬者になるための多少の技術はもっていたにちがいない。江原村は、そのあたりの大和田、和気などの小字《こあざ》と一緒に「御鍬村《みくわ》」とよばれたことがあったというから、変に語呂《ごろ》あわせのようでもあるが黒鍬につながりがあるようにも感ぜられる。江原氏の先祖の身分が何であるにせよ、家康は、矢作川の流域の村々から黒鍬の者を採用していたという想像はゆるされないであろうか。

江戸期に入ってから、徳川家でも諸藩でも、すでに不用になった黒鍬者を解雇するようなことをしなかった。雑用につかった。将軍や大名が行列を組んでゆくとき、長持をかつぐ役などをした。城内の掃除をしたり、防火に任じたりした。その点、中《ちゅう》間《げん》・小者《こもの》とほとんど同列である。

徳川家が江戸に移ると、黒鍬もかたちばかりは直参になった。直参はよく知られているように、旗本と御家人の二階級に大別される。旗本は将校であり御家人は下士官であるとおもえばよい。筆者は黒鍬は御家人の最下級だと思っていたが、じつは御家人にも入れてもらえないらしい。中間や小者が御家人でさえないように、黒鍬も気の毒なことながらそうなのである。実際上では黒鍬の家は世襲してゆくのだが、形式としては一代かぎりの身分で、嫡子《ちゃくし》があらためて採用されるというかたちをとってゆく。黒鍬とほぼ身分や相続形態が似ているのは、捕物帳などで活躍する町奉行所の同心であろうか。似ているとはいえ、町奉行所の同心はつけとどけなどがあって家計は黒鍬とくらべものにならぬほどゆたかであった。

徳川幕府の黒鍬者の年俸《ねんぽう》は、十二俵一人扶持《ぶち》である。

江原家の場合、その食禄《しょくろく》は一カ年、玄米で四十俵さげわたされる。石《こく》になおすと、十四石である。これで七人家族を養う場合の貧窮さは、言語に絶した。

その生家は、角筈《つのはず》の五十人町にあった。

「余が生れたる家屋の図にして、鮮やかに記憶する所の者なり」

と、江原が後年、書いている見取図によると、部屋は八畳、四畳半の二間で、あとは土間しかない。町名が五十人町というように、小身者ばかりの家が五十戸あった。どの家も敷地だけは百五十坪ほどあったが、家は小屋ほどのものでしかない。

このあたり、生家のぐあいなどはおなじく少禄の御家人の家にうまれた勝海舟の場合とやや似ている。さらに海舟の父小吉が無学で乱暴者で根っから気のよかった人物で、海舟が生涯この父を尊敬していたように、江原の場合も、父源吾は目に一丁字《いっていじ》もない無学者であった。その貧窮の無学者が、毅然《きぜん》というよりほとんど傲然《ごうぜん》として人に屈せぬ姿勢をとりつづけたということは、江戸期がつくりあげた無数のその種の人間たちと共通している。

安政六年二月二十一日に大火があった。当時、江原家は四谷《よつや》愛住町《あいずみちょう》に移っていたがこのとき類焼し、焼けあとに家を建てなければならなかった。金がないために大工の手伝いも左官仕事も、みな家の者がやるのである。できた家というのは六畳一間に、ほかに二坪の土間があるだけであった。敷居も鴨居《かもい》もなかった。むろん唐紙《からかみ》もない。壁は、屋敷のすみを掘って得た赤土をこねまわして塗った。手洗いには戸がなかった。戸のかわりに荒莚《あらむしろ》が一枚垂れていた。黒鍬者という幕臣での最下級の階層の家族の状態がほぼ察せられるであろう。

こういう家にも、養子がくる。江原素六の父源吾は養子であった。御家人の小普請《こぶしん》組の家からきた。海舟の父の勝小吉も旗本の家からきた養子であった。武家時代は次男、三男坊のはけ口は養子になって他家を継ぐ以外にない。

源吾の実家も貧窮だったのであろう。このため、無学だった。武芸の修業さえしたことがない。諸藩では無学の者など、足軽のはしばしまでふつうありえないことだったが、かえって直参社会にそれが多かった。徳川家が直参のための初等学校をもっていなかったせいにもよる。ついでながら徳川家が静岡にうつり、沼津兵学校をつくって直参の子弟を教育した。その入学試験は口頭試問程度だったが、初歩的な漢字知識すらない者が多く、教官の赤松則良が、

「薩摩の芋や長州の連中にやられたはずだ」

といって嘆息したはなしはすでに何かに書いたことがある。

源吾は無学ながらも、体軀《たいく》は堂々としていて、気骨のある男だった。かれは、

「武士の芝居見物ほど見ぐるしいものはない」

といって、七十余歳まで芝居小屋へ足を踏み入れなかった。最初は貧窮だからそういうやせ我慢を張っているのかとおもわれたが、暮しぶりが並み程度になった明治期でもゆかなかった。趣味は何もなかったが、往来を歩いている姿に品があったといわれる。

海舟の父の小吉は息子の麟太郎《りんたろう》（海舟）の出来がいいのでそれに将来の望みをかけたが、しかし素六の父の源吾は色調でいえば小吉などよりはるかに地味な男であった。

長男の素六の記憶力が抜群にいいということがわかった時期、学問でもしはせぬかとひどく不愉快がったらしい。

「小身者の子であることを忘れるな。文字を学ぶより職を習え」

と、かねがねいっていたらしい。職とは、手内職のことである。手内職をしてそれを売って現金を得るというのが、この暮しのなかでは何よりも重要だった。

江原家では、主として房楊枝《ふさようじ》やつま楊枝を削っている。

房楊枝というのは、楊枝をけずってはしのほうに削り残しを作って房のようにしたもので、これに塩をつけて歯をみがく。材料は日本橋で仕入れ、作る作業は日中にやる。素六は手が器用で、九歳のころには日に百本は削った。それを四谷か新宿あたりの小間物屋に売りにゆくのも、素六の役であった。売りにゆくのは、他の内職御家人もそうであったように外聞をはばかるために夜間ゆく。頬《ほお》かぶりをし、腰の脇差《わきざし》がみえぬようにしてゆく。小間物屋に入り、

「楊枝はよいか。楊枝はよいか」

と、よばわる。体面上、売り手のほうがいばっているのである。余談ながら、武士がその家計を補う生活手段として百姓と職人のまねはゆるされている。商売はゆるされなかった。

源吾は、自分の長男にもっと賃取りのいい職を習わせたかったのであろう。学齢に達して寺子屋へ通うというときも機嫌《きげん》がよくなかった。

そのころ、おなじ四谷愛住町で御家人の池谷福太郎が手習いをおしえていた。素六は十一歳でその門に入った。池谷は素六の怜悧《れいり》さにおどろき、できればこの子に四書五経と小学の素読をおしえて、この当時幕府の唯一《ゆいいつ》の官学である昌平黌《しょうへいこう》に入学させたいとおもった。昌平黌の入学試験というのは素読の吟味があるだけである。池谷は親切にもその妻を江原家へやり、源吾にそのことをいわせた。

源吾が、教育熱心だった勝小吉とちがう点は、以下のことである。かれは池谷夫人に対して大いに怒り、

「ひとの子をつかまえて記憶がよいの悪いのと批評なさるは無礼千万ではございませぬか」

と、いった。池谷夫人は怒らず、源吾の機嫌をしずめるべく懸命に笑顔をつくって、

「そう申されますが、鋳三郎《いさぶろう》（素六の幼名）どのはすでに大学と論語一巻を諳《そら》んじていらっしゃいます」といった。これにはいよいよ源吾が腹を立て、

「親が頼みませぬのに、みだりに人の子に物を教えるなどは不都合千万でございます。鋳三郎も鋳三郎である。親にかくれて勝手に論語だの大学だのと申して物学びをなす

は不埒《ふらち》もきわまれりというものである。あすより池谷どのに参ることはまかりならぬ」

と、いった。

このため素六は休学せざるをえなかった。

源吾にとっての教育は、この長男に手に職をおぼえさせることと、侍の子としての品格をもたせることだけであった。源吾もそのようにして成人したのであろう。

素六は相変らず、房楊枝のしごとをしている。材料問屋というのは日本橋の一石橋角にあった万屋《よろずや》という店であった。仕入れは、父子でゆくことが多い。薄暮に問屋に着く。材料の楊《やなぎ》の枝を買うと、それへ大小と羽織袴《はかま》をむすびつけてかつぐ。頬かぶりをしてまげをかくし、裾《すそ》を思いきりからげると、それで人足ふうになる。鎌倉河岸《かまくらがし》をどんどん歩いて護持院ヶ原を横切り、九段の坂をのぼり三番町に出る。三番町に堀田《ほった》という大名の藩邸がある。その角に、毎度イナリずしの屋台が出ていた。素六はイナリずしが好きであったが、かれの家のくらしではこれが食えず、大伯母にあたるひとが尼になって住職をしている牛込雉子谷町の願生院でこれをご馳走《ちそう》になったとき、世の中にこれほど旨《うま》いものがあるのかと驚嘆した。その記憶がわすれられず、一度この

屋台のイナリずしを食いたいと思っていたが、父がいるためにそれができない。考えたあげく、

「父上、小用《こよう》を足したいと存じます」

小便をしたい、だからさきに行ってくれ、といった。すでに夜である。素六は小用を足すふりをして、屋台でイナリずしを一個八文で買った。それを頰張ったとたん、目から火が出るほどの拳固《げんこ》をくらった。父はさきにゆかずに屋台の前で待っていたことを、イナリずしに目がくらんでしまっているために素六は気づかなかった。父の源吾のせりふは、ただひとことである。

「侍の身分として往来で物を食うとは何事ぞ」

帰宅すると、母親が目を吊《つ》りあげて立腹した。往来で物を食えばただの人足になる、我慢をするから侍である、侍の行状を守らねば侍ではない、といった。趣旨は、簡明直截《ちょくせつ》である。他の武家家庭もそうであったように、教育というのはこの程度のものであった。

「学問を好むは貧乏のはじまり」

という頑固《がんこ》な観念が、源吾にあったらしい。学問を好んで手内職をおろそかにすれ

ばこれ以上に貧になり、貧に貧をかさねればついに家名は断絶する。……

「学問とはそういうものだ」

と、源吾はつねづねいっていた。それでもなお池谷福太郎夫妻はあきらめず、源吾をたずねてきては素六を昌平黌にあげよ、とすすめた。何度足を運んできたかわからず、ついに源吾のほうが根《こん》くたびれして承知した。

素六は十五歳で昌平黌乙科に及第し、ほうびとして丹後《たんご》縞《じま》二反を拝領した。ただし家計があるために房楊枝をつくる仕事は怠れなかった。

江戸末期から明治中期までの日本人というのは、いまの精神風俗からみて信じがたいほどに親切であった。とくに有望な若者が嚢中《のうちゅう》の錐《きり》のようにして出てくると、それを宝石のように大切にする気風があり、たとえば長州藩における吉田松陰《よしだしょういん》などは藩としては幕府に対する気がねもありじつにこまった存在だったが、松陰が非業《ひごう》に死ぬまで藩の大人たちはかれのことを介抱したりしたが、素六の場合もそうであった。昌平黌で頭角をあらわすと、金を出してくれる人が出てきたり、書庫をひらいてかれのために無制限に書物を貸してくれる人が出てきたりした。やがて洋式練兵を学べという人が出てきて、新設された幕府の講武所でそれをまなぶのである。

年俸がもらえるようにもなった。

幕府がそのころ、横浜の外国公館を警備するための警備隊を設けていた。素六は講武所に学びつつ、ひとの世話で警備隊勤務にもつくことができた。日当は二朱であった。薄給だが内職よりましということであり、かれはこのときはじめて房楊枝つくりの内職をやめたのである。二十一歳のときであった。横浜警備隊の屯所《とんしょ》というのは横浜の吉田橋のたもとにある。隊員は半月交代で横浜へゆく。吉田橋のところに関所があって、あやしい攘夷《じょうい》浪士が入って来ないように、そこで番をつとめるのがこの隊の役目である。

この隊は、騎馬隊であった。羽織も袴《はかま》もみどり色であった。このためにひとびとが、菜葉隊とよんだのである。

「神奈川の菜葉隊をよびにゆく」

と、土方歳三が走ったのは明治元年（一八六八）で、江原素六が菜葉隊に入ったのは文久二年（一八六二）である。新選組はその翌年に京都で結成され幕末の動乱にまきこまれてゆくのだが、江原素六の経歴もまたさまざまに変化し、いつまでも菜葉隊にいたわけではなかった。新選組ができた文久三年にはかれは講武所の砲術教授方になった。手当は年に金九両（銀二十枚）で、ほかに月俸が出る。月俸という慣習が日本に出来たのは幕末、幕府の洋式学術機関からであろう。素六の月俸は十人扶持《ぶち》であった。これによってようやく家を養うことができた。かれは教授方でありながら佐久《さく》間象山《ましようざん》の塾《じゆく》に学ぼうとした。この時期象山は京都にのぼっていたために、江戸の塾はその門人の松代《まつしろ》藩士蟻川賢之助《ありかわけんのすけ》があずかっていた。素六はこの蟻川に就いた。父の源吾は大いに怒り、

「佐久間の塾など、やめよ。佐久間は一松代藩士であり、陪臣にすぎない。名誉の御直参が一陪臣の塾に通うとはもってのほかである」

と、大いに反対した。御家人であるかないのかわからないような身分の黒鍬の者でさえ、諸藩の侍をこのように見くだしていたという消息がわかるであろう。源吾だけでなく親族の者たちも反対した。直参の階級意識というのはそういうものであった。

素六はこの父親を尊敬していて、これまでずっと父親の指示するところに順《したが》ってきたが、このときだけは従わなかった。かれは象山学を蟻川を通して学びつづけた。やがて幕府の洋式軍隊の士官として累進《るいしん》してゆき、瓦解《がかい》にいたるのである。

静岡に移ったとき、一時、

「水野《みずの》泡三郎《あわさぶろう》」

と、改名した。幕威を維持するためのすべての努力が水の泡になったという自嘲《じちよう》をこめている。

明治三年、新政府は諸大藩から三十人の人員をえらび、海外視察させたが、当時静岡藩とよばれていた徳川家から素六がえらばれ、渡米した。半年で帰朝したが、かれが官に仕えるつもりならこのときが機会だったであろう。しかし多くの旧幕の俊秀たちが官に仕えることを好まなかったように、かれも好まなかった。その後、静岡で士族救済のために回漕《かいそう》業や靴《くつ》製造、牧畜、開墾、植林などの事業をし、ほとんどが失敗した。

素六は、明治期に忠誠心のやり場をうしなった非薩長系の武士たちが、人数こそすくなかったとはいえきわめて良質のクリスチャンになったように、かれも受洗し、多少信仰上の経緯があったとはいえ、内村鑑三に似たふうの、その先駆的な型の信者になった。内村と似たふうといっても、内村のような毒気や多少の山気がなく、その武士的基督者《キリストしゃ》という点で似ているという意味である。

一昨年だったか、昼前に顔を洗っていると、予告のない訪問を受けた。お会いしてみると、来客は三人で、二人は六十前後のいかにも篤実《とくじつ》そうな教育者といった感じのひとであり、他のひとりはちょっと色合いがちがい、年も五十そこそこで一見、実業家といった感じのひとだった。

「江原素六先生をごぞんじでしょうか」

という質問をうけた。私は、べつに知っているわけではありませんが江原素六の談話速記のたぐいや幾冊かの伝記を読んだことがあります、とお答えすると、「江原先生をどう思われますか」という質問だった。私は、ひとことにはいえそうになかった。明治の教育者としては福沢諭吉ほどでなくても、新島襄《にいじまじょう》よりは魅力のある人柄《ひとがら》だったように思える、などといったふうの雑談になり、また江原素六についての訪客のお話もおもしろく、じつに楽しかった。

来意は、不得要領だった。

雑談のほうがすすみ、

「江原さんは、菜葉隊でございましたね」

というと、はい、菜葉隊でございました、と、米国初代公使タウンゼント・ハリスを警備したこともあるという素六の二十代初期が、いまそこに現われて歩きはじめたような感じさえあった。

そのとき、江原素六と菜葉隊というつながりを最初に私に教えてくれたひとの記憶が急によみがえった。山路愛山《やまじあいざん》の息子さんで、私が勤めているときの上司だった山路久三郎氏である。愛山の父は幕府の天文方で、浅草に屋敷があり、上野の彰義隊《しょうぎたい》に参加し、敗《ま》けたあとはしばらく失踪《しっそう》した。まだ幼なかった愛山は、祖父とともに静岡に移住していた。失踪した愛山の父は官を怖《おそ》れ、夜陰ひそかに帰ってきたという。このあたりの状況は、素六が経た状況と当然ながらかさなっている。愛山の三男の久三郎氏はやがて麻布中学に入った。言いわすれたが、素六は麻布中学をおこし、その情熱を教育にそそぎ、大正十一年、八十一歳で歿《ぼっ》した。久三郎氏は素六の薫育をうけた。

「江原先生は菜葉隊にいたんですよ」

と、久三郎氏が、むかし私に話した。その記憶が私にこびりついていて、土方歳三が神奈川に菜葉隊をよびにゆくくだりを調べていたとき、(すると江原素六に会ったわけか)と、自分の頭の中で勝手にむすびつけてしまったらしい。あとでしらべて江原が菜葉隊にいたのはそれよりずいぶん前であることがわかって落胆した。訪客と話していて、その山路久三郎氏の話がよみがえったのである。

訪客は、麻布学園の先生が二人と校友だった。先生二人のほうが、どこか山路久三郎氏と話し方が似ていて、そのせいか、

(そういえば菜葉隊と江原素六のことを最初にきいたのは、山路さんからだったな)

と、妙なぐあいに記憶がよみがえったわけなのである。

この当時、麻布学園は学園紛糾の真最中だった。新聞を拾い読みしてそのことはわ

ずかながら知っていたし、また同校の出身である作家の山口瞳《やまぐちひとみ》氏がこの学校のことを随想風に書いておられたのも読んだ。

雑談で江原素六について聴いたり語ったりしているうちに、明治期の日本だけが持つことができた巨大な人格のようにおもえてきた。しかし来意は不明だった。やがて不明のまま帰られたが、後味がひどくよかったことをおぼえている。ただ三人のお客のうちで一人だけ色合いのちがった実業家ふうのひとだけは、満州によくいた一旗組《ひとはたぐみ》の、いわば政商的壮士のような印象をうけた。もっとも愛校心のつよい私学のＯＢにはよくそんなタイプがあり、それはそれで印象は決してわるくなかった。ただ最近になってそのひとがＯＢから校長代行になっていることを知った。しかも、かつて江原素六が買っておいた学校の所有地を売り、そのうちの、何パーセントかを着服してしまった——という容疑で逮捕されたというようなことを新聞で知った。

明治と、昭和のちがいである。

厳密にいえば昭和といってもとくにそれは三十年代以降の大衆社会的状況のことであり、それがいかにいかがわしいものであるかを、切り裂かれるようにして感じさせられてしまった。このことについては多少の説明が要るが、この稿の主題ではなさそうに思えるので、省く。ともあれ、江原素六ら無数の明治人がつくったこの国の社会はどうやら終末に近づいているようでもあり、その縊《くび》り手はおそらく不動産業者的射幸エネルギーというものではないかとおもったりする。後味のわるい話になってしまった。

長州人の山の神

きのう、国土地理院の二〇万分ノ一の地図を整理していると、「松山」という表題の地図が出てきた。地図の右手に愛媛《えひめ》県の陸地がちょっぴり出ていて、上のほうに山口県の一部がのぞいている。地図のほとんどは潮《しお》の香《か》がにおいたつような海である。伊予灘《いよなだ》があり、その北に周防《すおう》灘がひろがっている。眺《なが》めていると飛行士のような気分になって、夕陽《ゆうひ》に波頭がきらめいて高度を高めてゆくとみるみる海ぜんたいが青畳のようにきらめきひろがってゆく感じがある。周防灘は山口県の水域である。多島海といっていい。半島もある。最大の半島としては——半島としての名称はないが——山口県熊毛《くまげ》郡の半島がある。いま仮に熊毛半島と名づけておこう。

この熊毛半島は、旧幕時代、長州藩の門閥家老浦靫負《うらゆきえ》の所領だった。この半島とその周辺の島々から幕末、多くの志士が出てきたことで、歴史的特徴がある。しかもそのひとびとのほとんどが非業《ひごう》の死を遂げたということで共通している。たとえば新選組に内通したという疑いなどで高杉晋作《たかすぎしんさく》の勢力のために追いつめられ刑死した奇兵隊総督赤根武人《あかねたけと》がその代表的活動家としてあげられるであろう。防長二州とよばれる長州藩は長門《ながと》国と周防国を版図としている。この二州が地域的に仲がわるいということはまったくない。ところがおなじ長州人でも赤根のような周防出身の連中には悲運を負うた者が多いのはどういうわけなのか。世良修蔵《せらしゅうぞう》、富永有隣、大楽源太郎《だいらくげんたろう》、さらには長州人のまじる刺客《しかく》に殺された大村益次郎《おおむらますじろう》など、挙げてゆくときりがなさそうにおもえるが、そこに共通の理由があるのかといえば、どうもむずかしい。単に偶然なのかもしれない。

「かれら周防人は長州系の松下村塾《しょうかそんじゅく》閥の連中に迫害されたり殺されたりしたのです」

という意味の手紙を、この付近に住む郷土史研究家からもらったことがあるが、しかしそういう結果になった人——赤根武人など——がいるにせよ、それでもってすべてを締めくくるのは無理なようである。

あるいは周防人たちは素姓がひくすぎたという履歴上の共通項を見出《みいだ》せるかもしれない。そのほとんどが本藩の直参《じきさん》でなく、陪臣（家老浦靭負の家来）の出身か、もしくは百姓の出ながら学才があるというので浦靫負にかかえられるか、それとも本藩の雇士になったひとびとかである。要するにかれらは、田園の中から這《は》い出てきた。この素姓のひくさが、当人および周囲にとって多少のしこりを成したかもしれず、高杉晋作さえ赤根武人と主張を異にしたとき、つい「百姓あがりめ」といってしまったことがあるのである。

幕末の長州藩はそういう人材発掘がどの藩よりもきわだって活発だった。たとえば門地門閥のやかましい薩摩藩なら陪臣ふぜいが本藩の直参と対等でつきあうなどということはありえないことであり、土佐藩なども、陪臣が高知城下に出てくるときは大小を帯びられず、脇差《わきざし》だけで歩くというふうだったということを、土佐佐川を知行地にしている家老深尾氏の家来だった田中光顕《みつあき》が語っている。そういう陪臣もしくはそれに似た下層武士が天下のことに志をもつとき、土佐藩にあってはたいていが脱藩という藩体制から離脱する行動をとり、それによって自分の志を確立せざるをえなかった。薩摩藩では脱藩ということがほとんどなかった。下層武士団は上層武士団に服従しつつ幕末から戊辰《ぼしん》にかけての風雲期をくぐりぬけた。薩摩藩の場合の下層武士団は郷士《ごうし》である。郷士たちは薩摩の風として一見従順であるようにみえたが、実際には上層階級である城下士とのあいだに深刻な反目があり、たとえば西郷隆盛《さいごうたかもり》は維新後、これら郷士団と城下士団を分離するという方法をとらざるをえなかった。つまり郷士団をもって東京警視庁をつくらせ、城下士団をもって近衛《このえ》陸軍をつくらせるといった処置である。西南戦争がおこる直前、郷士出身の警視総監川路利良《かわじとしよし》は警官たちをあつめて声涙ともにくだる演説をし、

「諸君は故郷における恨みをいまこそ思いだすべきである」

といって闘志をあおり、郷土愛よりもむしろ郷士における階級闘争心を刺激したのは、有名な話である。

しかしながら長州藩においてはそういうことがあまりなかった。すくなくとも陪臣は萩《はぎ》の城下にやってきても大小を帯びて士装をして歩くことができたし、また本藩の直参たちと——もし志を同じゅうする間柄《あいだがら》ならば——対等に物言いすることができた。堂々たる士分（高等官）出身の桂小五郎《かつらこごろう》が、百姓あがりの若い伊藤博文《いとうひろぶみ》に対し、

「われわれは志を同じゅうしている以上、上下はない。物言いも友達のようでよろしい」

といったことは桂小五郎の人柄をよくあらわしているが、長州藩の事情をうかがう

上で興味がある。

「長州はこれだよ」

と、土佐藩主の山内容堂《やまのうちようどう》が筆をとりあげ、紙にくるくるとヒョウタンのさかだちの絵をかいてみせたというのは、藩主という立場からみての当時の長州藩のにがにがしさであった。幕末の長州藩にあっては封建秩序が大きくゆるみ、とくに奇兵隊成立前後からは両刀を差す連中のあいだに一種の平等気分があったようにおもわれる。

この藩では吉田松陰の死後、その塾に学んだ連中は政治結社と定義すべき結束をむすぶようになっていた。それが藩政における野党になったり、与党になったりした。このためその政治結社のなかでは、一種の無階級もしくは平等の気分が成立していた。このためその結社に入れば陪臣でも足軽でも能力相応の議論の場があたえられていたようであり、たとえば奇兵隊の実権をにぎって藩庁に対してにらみを利《き》かせた山県有朋《やまがたありとも》は足軽にすぎなかった。そういうことからみると、素姓が卑《いや》しいというだけで前掲の周防出身の連中が疎外《そがい》されたりしたことは顕著にはなさそうである。かれらの悲運はむしろ共通項を考えずに、かれら自身それぞれに理由や原因があったのではないかと思ったりする。

というようなことを考えながら、旧周防国の〝熊毛半島〟の地図をながめていると、その半島の付け根のあたりに宇佐木《うさなぎ》というほんの字《あざ》程度の小さな部落を発見した。宇佐木という村をながめているうちに、

「白井小助……周防国熊毛郡宇佐木の人」

という一句が、どこにあったか忘れたが、記憶のなかによみがえり、宇佐木という村はこういう地形のところにうずくまっていたのかと多少の懐《なつ》かしさが匂《にお》った。

私は宇佐木そのものをめあてに旅をしたことはない。

しかしこのあたりかつてしきりに歩いたことがあるから、地図を眺めていると村の風景の見当が多少はつくようである。柳井という町が半島の東の付け根にある。柳井から西南へ横切って西の付け根にある平生《ひらお》港へ出る道路があり、その道路は宇佐木の村を通っているのである。

村は、赤子山という牛がうずくまったように無愛想なかたちの丘を北に背負っていて、冬は丘が風よけになる。南はひらけていて田園であり、ぜんたいに海あかりも手伝ってひどく明るい。樟《くすのき》の大きな茂りがあちこちに点在していて、景色はやや南国風である。

この村に住んでいた白井小助は、陪臣の出であった。しかもかれもまた多くの悲運な周防人たちと同様、家老浦靭負の家来なのである。殿さま、とこの陪臣がよべる主人は長州藩家老浦靭負だけで、その上の毛利侯に対してではない。毛利侯に拝謁《はいえつ》資格もなかった。家老が勝手にやとった家来というのが陪臣で、毛利家公認の士人ではないのである。

この関係をこんにちの社会に例をもとめると、その会社の常務がその家庭において傭《やと》っている運転手はその会社の社員でないということに似ている。ところで幕末の長州藩がいかに他藩にくらべて革命藩としての内的条件を熟さしめていたかということは、こういう「常務の私傭《しよう》運転手」でさえ社員であるという気分になりはじめていたのである。しかも陪臣がときに対外的には堂々たる長州藩士として藩を代表することさえあり、藩の公務に関与することもしばしばだったということを見てもわかる。

陪臣白井小助は、相当な活躍をする。

小助は吉田松陰より五つ年長だが、江戸に遊学をゆるされた年がおなじで（松陰にとっては二度目の遊学）嘉永《かえい》六年である。江戸藩邸では起居を共にした。

松陰とは、身分が本来、月とスッポンほどにちがう。松陰は本藩の六十石だったかの直参なのである。ところが小助は松陰を「寅次郎《とらじろう》」というふうに通称でよんでいた。よびすてはいくら長州藩でもひどすぎるが、これは多分に白井の個性によるものらしい。小助は生意気な青年であった。

松陰もある意味では生意気だったかもしれない。江戸の塾をいくつか当って、つまらない先生だと「師とするに足らず」といった調子で退塾した。

二人は親友になった。

とくにふたりは、鍛冶橋《かじばし》の桶町河岸《おけちようがし》で塾を営む鳥山新三郎の家によく遊びに行ったから他藩の共通の友人もでき、それらの仲間のなかで二人の交誼《こうぎ》はいよいよ深まった。

二人と鳥山新三郎とは、一時、三人組のようになっていた。この鳥山自身が一種の階級詐称者《さしよう》だった。かれは安房《あわ》（千葉県）の百姓の出だが、しかし侍の姿をしていた。侍の姿をするために旗本の溝口十郎《みぞぐちじゆうろう》という人物（鳥山とは親類になるらしい）にたのみこみ、その無給の家来という名目にしてもらっていた。幕末の階級秩序というのは書生仲間のあいだでは相当みだれていたらしい。

鳥山の塾へ通ったといっても松陰や小助が鳥山を師としたのではなかった。友人である。鳥山塾というのは天下を憂《うれ》える青年たちの梁山泊《りょうざんぱく》のようになっていて、ここでは所属藩や身分を越えた無階級のつどいといったふんいきがあった。長州藩から来原《くりはら》良蔵《りょうぞう》といった品のいい士分の青年もきていて、この来原は当然松陰を「寅次郎」とよぶ。小助も釣《つ》られて、もしくはそういうふんいきに甘えて松陰をよびすてにしていたのかもしれない。よびすてどころか、ときには松陰というい つまでも少年っぽくて酒もたばこもやらず女買いもしない若者を、肥後《ひご》の宮部《みやべ》鼎蔵《ていぞう》らと一緒になってからかってもいたようである。

小助は、書生仲間での一方の雄である。

「小助は学問がある」

といわれたりした。

この時期の小助はかれの晩年の追憶のなかではいわば花のような季節で、棒組になって遊んだり議論をしたりした連中の多くは歴史上の人物になった。ならなかったのは、小助ぐらいのものかもしれない。

小助はほとんど超人というべき記憶力のもちぬしで、松陰に「孟子《もうし》」をすすめられると「孟子」を十日間で暗誦《あんしょう》するという信じがたい能力を発揮した。ただ物を学ぶについて移り気なところがあった。

かれは好奇心がさかんで江戸留学中、あらゆることを学ぼうとした。漢学は安積艮斎《あさかごんさい》に、西洋兵学は佐久間象山《さくましようざん》に、剣術は斎藤弥九郎につくといったぐあいで、師匠はそれぞれ当代における超一流の名声をもっていたが、しかし小助においてどれひとつものになった形跡がない。記憶力がすぐれていても才能がなかったのかもしれない。あるいは自分の才能にひきずられて知らずしらずにひとつのことをやりとげてしまったというような幸福な性格をもっていなかったのかもしれなかった。

松陰は嘉永六年、はじめて白井小助という歳上《としうえ》の青年に出会ったときに小助のはげしい気概をよろこび、

「白井小助、甚《はなは》だ志あり」

と、他の者への手紙に書いている。

「(小助)、近日、佐久間入門、出精仕《つかまつ》り候《さうらふ》」

と、わざわざ「出精」などという印象をさしはさんで感心している。

ところが松陰はやがて小助がむら気であることを知るようになった。

小助には、尋常でない気概がある。その後、松陰は下田から米国軍艦に投じようと

して国禁に触れ、江戸の伝馬町《てんまちょう》の獄に投ぜられるのだが、そのころになると小助はよほど松陰という年下の青年に敬服するようになっていたとみえ、著衣《ちゃくい》も売り、大小も売った。それで金品をこしらえ、獄中の松陰のためにさし入れをするということをやった。小助は身分が身分だけにつねにその生活は窮迫していたが、しかし友人のためにこれほどのことをやった。できることではなかった。このことは晩年の小助の存在をしてただならぬ迫力を加えしめるにいたるのである。維新の長州系の元勲・元老は大なり小なり松陰を師匠という以上に教祖とする連中であったために、師の松陰のためにこれほどのことをした男を無視することができなかったのである。しかも小助はこのために罪人になった。国事犯である松陰への援助が露顕し、藩はそれを大目にみることができず、小助に謹慎の刑を申しわたしたのである。小助は国もとへ帰らざるをえなかった。獄中の松陰はそういう小助を気の毒がった。一方、小助の態度に感嘆した。

「小助は坦然《たんぜん》として怨《うら》まない」

と松陰は書いている。たれもが国事犯の松陰を避けるというときに身を挺《てい》してそれを救援するというところに、小助の爽快《そうかい》な性格があったといっていい。小助は長州へ帰った。やがて囚人の松陰は小助のあとを追うようにして江戸の伝馬町の獄から藩の萩における野山獄に移された。小助は、相変らず文通のかたちで獄中の松陰と接触した。

そのうち小助の謹慎が解け、小助に再遊学の気持がうごいた。

——もう一度江戸遊学の藩許をえて、こんどは洋学を学びたい。

と、小助は松陰に洩《も》らしている。小助がさきに入門した佐久間象山の塾は象山自身がみずから体系化した彼なりの西洋銃陣を教える塾で、蘭書《らんしょ》や英書は教えない。時代は洋学を必要としていた。小助はいわばそういう流行のなかに入ろうとしたのである。小助の青春は、その晩年にくらべてひどく向日的である。

松陰は獄中から、そういう小助について、あるいは小助は成功しないのではないか、ぜひ気を散らさず、目的に専念されよ、と書いた。小助がどういう男であったか、この松陰の助言で想像がつく。移り気なのである。松陰の文章はこうなっている。「聞く、古助（小助）、将《まさ》に笈《きふ》を負ひ東遊せんとすと。僕《ぼく》その志を壮とすれども、或《あるい》は遂げざらんことを恐る。因《よ》つて贈るに一の専の字を以《もつ》てす。知らず、能《よ》く肯綮《こうけい》に中《あた》るや否《いな》や」

「そのとおりだ」

と、このころになると、松陰を師のように推服するようになっていた小助はそう思ったにちがいない。

松陰が予言したとおり、小助の洋学はものにならなかった。

松陰の死後、長州藩は内外ともに灰神楽《はいかぐら》の舞いたつような騒ぎがつづいた。攘夷《じょうい》戦争、それに対幕戦争、さらには藩内クーデターのさわぎである。小助は駆けまわった。

小助は学問よりも奔走のほうに身を入れはじめた。

下関における攘夷戦争にあっては、小助は奇兵隊参謀として戦場にいた。この戦争で沿岸砲台を指揮していたとき、すっ飛んできた外国艦隊の艦砲砲弾のために体が宙に浮き、地に投げつけられ、起きあがったときは右眼がなくなっていた。幕長戦争のときはかれはみずから兵士をつのった。主として周防において隊士を募集し、それを調練し、それを指揮して戦った。第二奇兵隊といった。つづいて戊辰戦争にあっては小助は官軍の参謀になった。かれは松下村塾の出身の山県有朋やおなじく時山直八《ときやまなおはち》とともに越後《えちご》口で戦い、長岡藩の頑強《がんきょう》な抵抗にあい、ときには逃げ、ときには攻め、さんざんの苦戦をしたあげく時山直八をうしなってしまった。

ところで維新後、小助が、とつねにののしっていた山県が異様な出世主義者であるということが小助にもわかった。山県はいきなり陸軍中将になった。当然、小助には中将か、それ以上がふさわしい。文官でも大輔《たゆう》にはなれた。長州系の志士として第一級の履歴のもちぬしである小助はどういう官職につくこともできた。

「狂介の臆病者《おくびようもの》」

ところが小助は官途に就かず、故郷の周防に帰ってしまったのである。このあたりから、小助のなにやら痛快とも奇妙ともいえる後半生がはじまるらしい。

小助が官途につかなかった理由については、あとで考えてみたい。その前にそういう——幕末に奔走してその存在がよく知られていた人物で維新後故郷にかくれてしまった——例があるかどうかである。

薩摩にはすくない。長州は薩摩よりも多いかもしれない。土佐になるとわりあい居るような印象がある。土佐勤王党の領袖《りようしゆう》の武市《たけち》半平太《はんぺいた》の妻富子の叔父で半平太と終始行動をともにし、前後して藩獄に入れられ、維新後出獄した島村雅事《しまむらまさこと》（通称寿之助）などは、幕末では土佐派の連中から「入道様」（頭が禿《は》げているために）と愛称されて

慕われていたが、維新後は、

——いまさら何をすることがあろう。

と、仕官のよびかけにも一笑してついに家居したまま明治十八年に歿《ぼっ》した。その兄の雅董《まさただ》もそうである。かれは土佐勤王党の資金をつくるために先祖伝来の美田二十石を売り、さらには板垣退助《いたがきたいすけ》のもっとも良き相談相手であったが、維新後、「オラは出世のためにあいうことをしたのではない」といって東京には出なかった。

ほかにも島村真潮《ましお》など筆者にも幾人かの名をあげることができる。土佐の場合は挙藩反幕ではなかった。おもに郷士《ごうし》階級が藩の弾圧に堪えつつ運動をした。藩によって刑殺された者も多く、刑殺をのがれて脱藩した者も多かった。ことごとくが自分一個の意志と責任で参加したという点で、藩方針に従って藩ぐるみで参加した薩摩の場合とちがっている。つまり変屈者が多く、維新後官に仕えないという、時勢からみればふしぎとしか言いようのない性格のもちぬしも当然そのなかにまじっている。

白井小助は、維新成立のときが、満年齢で四十二である。おなじ長州の大村益次郎より二つ若いが、長州閥の領袖《りょうしゅう》の木戸《きど》孝允《たかよし》より七つ上で、長州軍閥の総帥《そうすい》になる山県有朋よりも十二も年長であった。

明治政権の官僚で早い時期からとんとん拍子に栄達してゆくのは、諸藩が新政府にさしだした「参与」「貢士《こうし》」「徴士」の出身者である。旧幕府は鳥羽・伏見の一戦でやぶれたもののなお関東で兵馬をにぎって情勢が予断をゆるさない時期、京都でとりあえず成立した新政府を運営するために諸藩が政治と軍事の俊秀をさしだした。薩長の場合は、革命の功労者が多い。

小助は、この選に洩《も》れた。伊藤博文などが卑賤《ひせん》の出ながら参与という高等職についていることなどをみて、元来無視されることが病的にきらいな白井は腹が煮えかえったにちがいない。それでも小助は、山県有朋（狂介）らとともに北越の戦線に出かけた。戦陣では怠けてはいなかった。越後の榎《えのき》峠をかけのぼったときなどは猿《さる》のように疾《はや》かった。下のほうから小助を見あげていた隊士たちは、山肌《やまはだ》をかけのぼってゆく小助の足の裏の大きさにおどろいた。小助は平凡な容貌《ようぼう》と小さな体軀《たいく》をもっていたが、足だけが大きかった。山肌に足の裏がひるがえっていた。身体的特徴として足の裏だけが英雄的であるというのは、小助にとって情けないことであったにちがいない。小助はよく働いたが、指揮能力や作戦能力はあまりなかった。山県のほうがまだしも上であった。山県には、いったん決めた方針を容易に動かさないという軍人としての最小限必要な資質があった。この軍旅では山県が自然、小助を越えて指揮権をにぎるようなかたちになった。小助は山県のきめた作戦にうるさくケチをつけてからんだりして、山県にとって厄介《やっかい》な荷物であった。しかし松陰先生の親友であるこの大先輩をないがしろにすることもできなかった。

長州出身の大官たちは、小助にどういう職がふさわしいか、ずいぶん頭を悩ました形跡がある。性格さえ従順なら無能でもかまわなかったが、ところが小助は維新成立前後から周囲の者も唖然《あぜん》とするほどにすね者の体を示しはじめ、口舌はつねに毒をふくみ、行動は人の意表に出、しかも当人自身が狷介不羈《けんかいふき》を気どるようになった。軍人や行政官にはとても適《む》かなかった。小助を入れることによって軍組織も官僚組織も崩れそうであった。

「弾正台《だんじょうだい》はどうか」

という、案も出た。木戸孝允あたりから出たのか、そのことはよくわからない。官吏の素行を監視して必要があればそれを糺《ただ》すという司法機関で、なるほど小助にはむいていたかもしれないが、ところが小助がこの案を怒声とともに蹴《け》ってしまった。小助にすれば経世済民《けいせいさいみん》のために奔走してきたのに、そういう仕事はおれにはお門ちがいだというような気持があったのかもしれない。ともかく、維新という大革命としか言いようのないこの変動を日本中のあらゆる層のあらゆるひとびとがその置かれた環境ごとに無数の種類のうけとりかたをしたが、小助のようなのはすくなかったにちがいない。小助にとっては維新とは、自分よりも後輩の、自分よりもはるかに無学な、しかし出世欲だけはあふれるような連中が高位高官に昇ったという事態なのである。小助が、ほとんど芸術的なすね者になってしまったのもむりはないかもしれない。

明治になってから白井小助は、故郷の周防国熊毛郡宇佐木村と東京のあいだをしきりに往復した。そのたのしみは、東京で大邸宅をかまえ、侍者に御前《ごぜん》とよばせ、爵位《しゃくい》をもっておのれの身分を超然たらしめている日本国の要人どもをからかいにゆくことであった。

この小助の襲撃に難渋したのは、伊藤博文、山県有朋、井上馨《いのうえかおる》、三浦梧楼《みうらごろう》、品川弥《しながわや》二郎《じろう》らである。

「何某、酒をのせまい」

といって、いきなり入ってゆく。女中や書生が玄関へ走り出ると、主人をして迎えせしめよ、と、どなる。主人が奥から飛んで出てくると、小助は主人が手をとって上へあげないかぎりあがらず、放《ほう》っておくと何を喋《しゃべ》りだすかわからない。上にあがると、むろん上座にすわる。

故松陰門下でも、品川弥二郎は人が好かった。頭脳においてすぐれていなかったことは松陰もみとめている。「弥治（弥二郎）は人物を以《もっ》て勝《すぐ》る」と松陰も評した。この程度の人物でも、明治十七年に子爵になり、同二十四年には内務大臣になっている。地方行政と全国の警察をにぎる内務大臣の権勢は当時の日本では非常なものであったが、小助はその得意の絶頂にある「弥二」の屋敷を、好んで襲撃した。

品川がなにか時勢のことについていうと、

「弥二になにがわかる」

と、水をかけてしまう。それを品川の夫人や、ときに上女中《かみ》などが入ってきたときにやるのである。「弥二は馬鹿《ばか》で」というのが口ぐせであった。

小助の言い方に、ユーモアがある。それが解毒の作用をして、夫人などはたまりかねて廊下に飛びだしころげまわって笑うこともあったという。

小助は、こういう話をした。

幕末のぎりぎりの時期、毛利侯の世子《せいし》の定広が志士的活動家一同をあつめて訓奨するという異例のことがあった。志士的活動家のことを当時長州ではときに慷慨家《こうがいか》——時勢を激しくなげくひと——とよんだ。慷慨家の仲間には高杉晋作や桂小五郎のような歴《れっき》とした士分の者もいたが、多くは藩の卑士である。品川弥二郎の家は葬儀をつかさどる足軽であった。そういう卑士が、世子に謁《えつ》を賜《たま》わるというのは異例のことで、品川おおぜいが広間に平伏しつつ世子の言葉を聴いた。品川も小助もまじっていた。品川は感激のあまり、声を忍んで泣きだし、肩をふるわしつづけていた。小助はそれが笑止であった。小助は品川のうしろにいた。品川の尻《しり》が、小助の頭に接続している。小助は品川の尻を力まかせにつねりあげた。品川は痛みにたえかね、声をあげて泣きだした。小助はひくい声で、

「弥二、泣き足らぬ。もっと哭《な》け」

と、小声で命じつづけ、いよいよ力を加えてひねりつづけた。品川はたまりかねて背後をむき、

——白井さん、いい加減にしてくだされ。

と、叱《しか》ると、小助はくびを伸ばして、

「慷慨家もなかなか骨じゃのう」

と、あざ笑った。小助は、この当時の慷慨家といわれる者の本質の一部を見ぬいていたのである。

その話も、品川の屋敷でしばしばやった。品川はそのつど閉口した。

明治二十年代のある夜、山県有朋の屋敷で演《や》ったことが、もっとも劇的である。当時山県は伯爵で、このころ日本の陸軍と官僚をほとんど私的に掌握してあたかも法王のような威権をもっていた。

小助は山県を狂介とよぶ。小助はたれよりも山県の威厳にみちたしかつめらしい面《つら》構《がま》えが大きらいで、これをひっぺがすことに無上の快をおぼえていた。

ある夜、目白台の宏壮《こうそう》な山県屋敷の門前で酔漢がわめいていた。伯爵閣下はいるか、と連呼し、屋敷を警戒していた警官がおどろいてとりおさえようとすると、「待て待て」とその酔漢は警官をなだめた。小助であった。

「おれの興をさまたげるものではない。おれは愉《たの》しみでこれをやっておる。人民に迷惑をかけているわけではないのだ」

といったから、警官はこの酔漢の人相といい、物言いといい、ただの人間ではないと思って態度をあらためた。なぜなら警官はわざわざこの酔漢をつれて門を通り、玄関まで案内したのである。玄関で小助はふたたびどなった。

「狂介、在宅か。飯山《はんざん》(小助の号)先生が駕《が》を枉《ま》げて参ったぞ」

書生が奥へ走り、奥から山県があわてて出てきた。そのときは小助はすでに靴《くつ》のまま(小助は和服に編上げ靴をはいていた)上へあがり、山県が抱えるようにして書院へ

通すと、そのまま崩れ、大いびきをかいて眠ってしまった。一時間ばかりねむったあと、

「狂介、狂介来い」

と叫んだ。

日本における事実上の皇帝のような山県有朋は、ひとびとにとって信じがたいことだが、この酔漢の到来を知ると、礼を失せぬように袴《はかま》を着けた。呼ばれたとき、むろん袴をつけている。小助の前に手をつき、

「何なりとお言いつけください」

といった。小助はこの屋敷にくるたびに罵倒《ばとう》する言葉をくりかえした。

「寅次郎にはずかしくないか。寅次郎はこのような宮殿のごとき屋敷に住めと言うたか」

この夜、さかんに吝嗇《けち》よばわりもした。山県がその夫人おともに酒をもって来させた。銚子《ちょうし》と猪口《ちょこ》という酒器も気に入らなかった。こういう小さなものを持ってくるのがそもそも吝嗇だという。

「台所に樽《たる》があるか」

ございます、とおともがいうと、来い、狂介、おともも来い、といって泳ぐように

歩きだし、台所にゆくと、こも巻の四斗樽《しとだる》をながめて、こもを除《と》れ、鏡を抜け、ヒシャクを持って来い、とおともにいった。

おともがそのようにすると、小助はいきなりおともを抱きあげて樽の中に沈めてしまった。伯爵夫人を漬《つ》ければどういう味がするか、と小助はヒシャクをあげて酒を汲《く》んだ。おともはおどろいて逃げてしまった。

が、山県が逃がさなかった。「衣装を更《か》えて出てくるように」といった。山県は小助の襲来をあきらめて一種の神事だとおもっているふしがあった。山に祟《たた》り神《がみ》がすんでいる。年に一度山から降りて荒れ狂うのを、里のひとびとが酒や犠牲《にえ》をそなえ、さまざま機嫌《きげん》をとってなだめようとするのに似ていた。その神が暴風のように吹きあれているあいだ、里人はただひたすらにそれに堪え、過ぎ去るのを待たねばならない。それに似ていた。小助は、出世した長州人たちが共同で背負いこんでいる山の神であった。

ついでながら山県の妻のおともは、いわば掠奪《りゃくだつ》結婚で山県のもとにきた。小助はそういうことをよく知っていた。

山県は色白で背のすらりとした女が好きで、このおとももそうであった。山県が奇兵隊軍監であったころ、彼女を掠奪した。彼女の父は長州藩の支藩の長府藩（いまは下関市）の士分である石川良平という人物で、山県がひと目惚《ぼ》れをした。人をたてて嫁にもらいたいと頼みこむと、石川はにべもなくことわり、

「足軽風情《ふぜい》に娘をやれるか」

と、いった。奇兵隊が飛ぶ鳥をおとす勢いであったころでさえ、縁談となればそういうもので、士分の連中はこの隊士を火事場人足程度にしかおもっていなかった。

山県がしょげかえっていると、数人の隊士たちが、「軍監、ぐずぐずしやるな。盗めばしまいではないか」とけしかけた。このころの奇兵隊壮士のがらの悪さはひどいものであった。かれらは石川家のまわりが生垣《いけがき》であるのを幸い、日が暮れてから屋敷うちを窺《うかが》っていたが、やがて娘が湯からあがったのを見すまし、三人で押しこみ（押しこんだのは奇兵隊士でなく、長州藩が組織した報国隊の隊士。奇兵隊からたのまれたのである）娘をかついで逃げた。かついで吉田村へ逃げ、庄屋《しょうや》の末富清助の屋敷にかくまった。その屋敷に山県が待っていた。そのあと、石川家では泣き寝入り同然でこの結婚をみとめざるをえなかった。

おともは掠奪されるような女だから従順であった。酒樽におとなしく浸《つ》けられてしまったのも、そのせいかもしれない。もっとも彼女はばかではなかった。その後山県

の手ほどきをうけて和歌に長ずるようになり、秀歌もいくつかある。余談だが、彼女は明治二十六年九月十二日、四十二歳で亡《な》くなった。山県は彼女を悼《いた》み、「閼伽《あか》の水そそぎながらも思ふかな　きのふは共に手向《たむ》けしものを」と詠《よ》み、彼女の生前の詠草をあつめて歌集をつくり、「わしの山集」という題をつけた。「わしの山」とは彼女の辞世の歌からとったものである。わしの山とは釈迦《しやか》にゆかりのふかいインドの霊鷲《りようじゆ》山《せん》のこと。辞世の歌というのは、「わしの山わけ入るみちは遠けれど　たのむこころをしをりにはせむ」という。

小助は酒樽のそばで飲んでいたが、やがて便意を催した。厠《かわや》へゆこうとすると、山県があぶなく思ってこれを介抱しようとした。小助はふりきり、「おとも、わしを介抱せよ」と命じた。

厠の中から小助はさらに呼ばわった。

「おとも。わしの尻を拭《ふ》け」

彼女はさすがに嗔《いか》りを発し、動かなかった。山県はおとものそばに寄り、

「わしが頼む。飯山先生の命じゃ」

と、ささやいた。

おともはやむなく厠の戸を排し、中にしゃがんでいる小助の尻に紙をさしだして汚

物をぬぐった。

そのあとおともは血相を変えて山県に迫り、あのひとの行状は何でしょう、いまの無礼亡状、あれを忍ぶべしとおっしゃるなら世の中に忍ぶべきことはございません、忍耐にも程がございます、といった。

山県は声を小さくしてなだめた。

「白井小助先生はわしの再生の恩人で、さらには松陰先生の旧知じゃ。頼むから忍んでほしい」

と、いった。「わしの再生の恩人」と山県がいったことばの内容がよくわからない。旧藩時代に山県があるいは政治的な罪もしくは奇兵隊のなかで浮きあがろうとしたときに白井小助がこれをたすけてやったのだろうか。そういうことについては山県関係の資料が沈黙しているからよくわからないが、ひょっとすると小助は山県の旧藩時代の何か重大なしっぽをにぎっていたのかもしれず、その秘密を小助が明るみに出しては山県がたまらぬというほどのものかもしれなかった。

山県は人に肚《はら》を打ちあけてみせたことのない男で、つねに冷厳の態度をくずさず、自他のあいだに大きな城壁を設けることをもってかれの政治的姿勢を保っていた。その山県が、おともでさえ耐えることができないと叫んだこの小助の無礼をこうも忍びつづけたのは、よほどのしっぽであるかもしれなかった。

長州人三浦梧楼は陸軍中将で現役を去ったあと、学習院院長や枢密《すうみつ》顧問官をした。三浦には小助の性格を薄めたような奇癖があり、ささいな事柄にも理屈をつけ、また直言癖があってたれに対してもそれをやり、場所柄もかまわずにそれをやるためにひとびとから敬遠されていた。かれも長州の一兵から成りあがった男で、若いころのまずい事など小助にすべて知られてしまっている点では他の長州系の顕官とかわらない。

山県は右の事件があったあと、この三浦をよんで、

「先夜、白井先生についてしかじかのことがあった。その荒れ方があまりにひどく、おともなどはもはや忍べない、といっている。わしはかまわないのだが、家人が可哀《かわい》想《そう》だ。君のほうから白井先生になんとかお手軟らかに願えるよう頼んで貰《もら》えまいか」

と、頼んだ。三浦は白井と性格がやや似ているせいか、わりあい気が合っているということを山県は知っていたのである。

三浦はさっそく小助を招待した。

理由は、「鯛《たい》のいい到来物があるから」ということで、さしさわりがなかった。と

ころが、小助が酔ってしまわないうちに説諭をしておこうとしたのがまずかった。

「先生」

と、三浦は下座からいった。

「先生からみれば、山県にせよ伊藤にせよ、井上、品川など一様に小僧かもしれませぬが、いつまでも小僧あつかいでは可哀そうではありませんか」

「ホイ」

小助が、叫んだ。怒ってはいなかった。三浦のもてなしが最初から手厚かったので、小助は終始にこにこしていたのである。笑顔だけはそのままで、

「なにか、わしに失態があったかい」

「いや、そうではないのです。ただ山県、伊藤など彼等《かれら》はいまでは至尊（天皇）の信任したもう文武の極官で、公人なのです。先生は公人を私人としてのみ御覧になるというのは、至尊に対し奉《たてまつ》ってどうでありましょう」

と、三浦はいつもの理屈癖を出した。

それでも小助の機嫌は変らなかった。

ただにわかに態度をあらため、上座からすべり落ちてはるか下座までころがり、そこで三浦に対して平伏した。三浦はおどろいた。

が、小助は三浦を制し、

「わしは草莽《そうもう》の賤民《せんみん》にして礼を知らなかった。ただいま子爵三浦梧楼将軍閣下よりありがたき教訓をうけ、これに対して感謝する方法も知らず、ただこのようにして平身低頭するのみでござる」

と言い、

「なるほど、いまの三浦はえらい。しかしむかしはどうじゃ。偉くなれば昔のくだらぬ三浦まで偉いとせねばならぬか。わしは三浦、おぬしにとっても山県にとっても故旧じゃ。故旧にとってはいまの偉さは関係がないぞ。故旧たちがいまの偉さに叩頭《こうとう》しているようなら、世に人倫は立たぬ。早い話が、汝《うぬ》のいまの理屈が通るなら、汝の尊父をもたかが一介の長州藩士なりとして汝はさげすんでよいことになる。そもそも昔の汝というのはいかにくだらぬ男であったかと申せば……」

といって、三浦の若いころの、小助だけが知っている失態をいちいち挙げはじめた。

三浦は閉口し、合掌しながら立ちあがって小助を抱き、笑いながらその口をおさえ、

「先生、わかりました。わしの道理が間違いでありました。わしはむかしの罪を知っております。願い奉る。もう二度とおっしゃって下さるな」

と、いったから小助も気分がおさまったのか大いにうなずき、立ちあがって席にも

どった。むろん上座である。

小助は故郷の熊毛郡宇佐木の自宅で私塾をひらき、近所の子弟を教えていた。この一介の村夫子《そんぷうし》に対し、明治三十三年、宮内省から通知があり、さらに県庁から役人が礼装でもってやってきて、従《じゅ》五位ニ叙セラル、という旨《むね》のことを知らせた。小助はすでに老い、それをはねつけるだけの気力も衰えていたのか、

「馬鹿者《ばかもの》どもが、わしをそうまでしてなだめようとしておる」

と苦笑し、それを受けた。

その翌々年に七十七歳で歿《ぼっ》した。山県や伊藤はおそらく安堵《あんど》したにちがいない。

権力の神聖装飾

豊後《ぶんご》(大分県)の「岡《おか》」という土地に七万四百四十石の小さな藩があった。この城下は竹田とよばれていた。このためお城の名称は岡城とよばれたり、竹田城とよばれたりする。こんにちは竹田市という。市制を布《し》くにはややこっけいかもしれないほどの山里である。

この山里の藩の藩士滝家から明治の音楽家滝廉太郎《たきれんたろう》が出た。かれの手で作曲された「荒城の月」は、故郷のお城がイメージのもとになったという。さらに明治の海軍軍人広瀬武夫もこの藩の藩士の子である。どこか、精神の味加減が滝廉太郎と似ている。似ているとすれば桃源郷のような山里の城下町ではぐくまれたロマンティシズムのようなものが二人の共通のものになっているのかもしれない。この稿は滝や広瀬についで書くつもりはなく、なんとなく書きだしがこのようになってしまっただけである。

この小藩の藩祖は、織豊《しよくほう》時代の武将である中川瀬兵衛《なかがわせへえ》清秀《きよひで》である。私は戦国末期にあらわれる人物のなかで、この瀬兵衛がすきである。かれは九州の人ではない。上方《かみがた》の人である。

戦国末期の政治情勢の主舞台はなんといっても尾張《おわり》、美濃《みの》、三河《みかわ》といった地方で、上方はいわば田舎の劇場であり、その田舎舞台でどういう役者が浮沈しているのか、十分にはわかりにくい。織田信長の勢力が上方に伸びてくるにつれて、信長を光源としてにわかにかれらの姿が光線のなかに曝《さら》されるのである。

荒木村重《むらしげ》もそうであった。村重を盟主とする中川瀬兵衛などもそうである。瀬兵衛と同僚のキリシタン大名高山右近もそうであった。

脚光をあびる以前のかれらの履歴については歴史は沈黙している。

村重は丹波あたりから摂津に流れてきた浪人の子らしい。そういういわば徒手空拳《くうけん》のこの男が、どのようにして領主身分にのしあがったのかはよくわからず、ともかくも織田家のさそいでその系列下に入ったときは、村重はすでに摂津伊丹《いたみ》の城主であり、いまの阪急電車の各線（神戸線・京都線・宝塚線）の沿線地方をおさえる大勢力を形成していた。その傘下《さんか》にある者として、高山右近が摂津高槻《たかつき》城主であり、中川瀬兵衛が摂津茨木《いばらき》城主であった。盟主の村重が織田氏に属したため、かれらも自然織田氏における新参の武将になった。

中川瀬兵衛も村重と同様、素姓やら何やらがよくわからない。摂津のうまれだともいうし、山城のうまれだともいう。門閥より実力で這《は》いあがったらしく思えるが、一書には村重の甥《おい》という説もある。ただ弟が淵兵衛《ふちべえ》もしくは淵之助といったことはたしからしい。兄が瀬で弟が淵など、取りあわせとしておもしろい。どちらもめずらしい名で、こういう通称をもっていたというだけでも変った男ではないかと思ったりする。瀬も淵も戦場では勇敢であった。しかもおなじ旗指物《はたさしもの》を背負っていた。旗指物は兄が白地に赤の日の丸で、弟はその逆である。この二旒《りゅう》の日の丸が駆けてゆく姿はめざましく、当時、唄《うた》があった。

「戦《いくさ》の真先駆ける日の丸は、赤は瀬兵衛、白は淵兵衛」

といった。瀬兵衛についての人間的光景は、この唄と、のちに山崎《やまざき》合戦でのかれの姿以外にはあまり資料として残っていない。

天正十年六月、信長は京都・本能寺の宿館で明智光秀に包囲されて殺され、情勢が一変した。さらにその光秀が、中国方面からいそぎひっかえしてきた羽柴秀吉に山城の山崎の狭隘部《きょうあいぶ》でやぶられることによって、情勢は再転した。

この山崎合戦にあっては、中川瀬兵衛は秀吉に属した。しかも、秀吉軍第二陣をつとめた。先陣は高山右近だった。ところが戦いの前ににわか雨が降り、高山の兵は鉄砲の火《ひ》縄《なわ》を濡《ぬ》らしてしまったために中川瀬兵衛の隊が進出し、事実上の先陣をつとめた。瀬兵衛はよく働いた。戦いのあと、信長の三男の織田信孝が瀬兵衛に手厚く会釈《えしゃく》し、「あなたの働きのおかげで亡父の仇《かたき》がとれました」と手をにぎったというのもこのときである。

戦いが済み、瀬兵衛が路傍に床几《しょうぎ》をすえて息を入れていると、後方から秀吉がやってきた。輿《こし》でやってきた。瀬兵衛も秀吉も、故信長の直参ということでは上下がなく、いわば朋輩《ほうばい》であった。本来なら秀吉は輿から降り、ねんごろに会釈をすべきところ、輿に乗ったまま、

「瀬兵衛、骨折り、骨折り」

と声をかけ、行ってしまおうとした。瀬兵衛は腹をたて、大声で、

「コノ馬《ば》鹿《か》メ、モウ天下ヲ取ッタツモリカ」

という意味のことをいった。秀吉はきこえていたが、そのまま乗り打ちで行ってし

まった。この話はこの時期ずいぶん伝播《でんぱ》したらしく、伝聞として書かれたものが幾通りかあるようだ。そのうちの「烈公間語《れっこうかんご》」では、「瀬兵衛、気短キ人ナレバ、推参ナリ、ハヤ天下取リノ顔ヲスルカ。……秀吉公、御聞《おきこえ》ナキ事ハアルマジケレドモ、聞カザル顔ニテ御通リノ由《よし》」とある。みじかい文章だが、情景が目にみえるようである。

瀬兵衛はこのころ五万石程度の小さな大名であった。その瀬兵衛ですら、秀吉にこれだけの悪態をついている。この稿で瀬兵衛のことを書くつもりはなく、秀吉のころの戦国の荒大名の鼻息のあらさとか、自我の強さとか、あるいはお行儀のわるさというものの一情景として山崎街道における中川瀬兵衛を借りた。

瀬兵衛はやがて賤《しず》ヶ岳《たけ》付近の戦いで戦死するが、秀吉の政権というのはこういう連中の上に成立したもので、秀吉自身がのちに徳川家康に「自分の大名たちはかつては自分の朋輩で、自分に対して心から服していない」と正直に告白したようなことが現実であった。

大坂城の殿中というのは、ずいぶん行儀が悪かった。詰間に詰めている大名たちはちょっと感情のゆきちがいがあると口論になり、あるいは昼酒をくらって寝そべる者や、そのあたりの庭で小用を足す者など、まるで梁山泊《りょうざんぱく》のようなものであったらしい。

秀吉も、手のつけようがなかった。

この稿の主題は、権力とお行儀ということである。

中国大陸をはじめて大統一したのは秦《しん》の始皇帝であったが、秦はすぐほろび、漢の高祖劉邦《りゅうほう》がその歴史的大事業をやってのけた。劉邦は沛《はい》の町の不良少年あがりで、大度量があり、人の意見をよく容《い》れた。かれはときに十戦十敗といったふうなことも多かったが、異常なつきがつねにかれを危機から救い、ついにかれ自身、そこまでの野望はもっていなかったのに漢帝国を興すにいたった。かれの性格は秀吉に似たところが多かった。どちらも無学でかんがよくて他人に利益をわけるのに気前がよかった。劉邦が秀吉よりも徹底していたのは学者ぎらいということだった。劉邦の場合は儒者である。劉邦はかつて儒者の冠をひったくってそこに酒くさい小便をそそぎこんだことさえある。儒教は行儀がよかった。行儀のよさこそ儒教のかなめであり、儒者たちは煩瑣《はんさ》で形式的な礼を考えだし、それを演出する専門家であった。元来、行儀のわるい劉邦は、そういう形式じたいがきらいだったし、できもしなかった。ところが天下をとると、その宮殿は秀吉の大坂城と似たような状況になった。創業の英雄豪傑が殿中で放埒《ほうらつ》にすわり、口論し、ついには喧嘩沙汰《けんかざた》になることが多い。たれもが宮殿を神聖な場所とはおもっていなかった。皇帝である劉邦自身がそうであった。あるとき論功行賞に不満だった諸将が、砂の上にあつまって議論をした。そこへ劉邦が通りかかって、かたわらの者に、「あの連中は口やかましく論じあっているが、いったいなにを喋《しゃべ》っているのだ」ときくと、その者は、「ご存じなかったのですか、かれらは謀反《むほん》の相談をしているのです」といった。万事がその調子であった。

結局、劉邦は儒者を採用せざるをえなかった。皇帝の権威を成立せしめるのは型であるということを、儒者の叔孫通《しゅくそんつう》はよく知っていた。長楽宮ができたのを機会に、叔孫通は三十人の儒者をうごかしてまず皇帝に拝賀する儀式を作りあげた。諸臣にとってこの儀式における自分の身の動かし方や席、服装その他を暗記するだけでも大変だったし、それを演技するのはいっそう大変だった。しかしそれを実際にやってみると、その型を演技することによって皇帝はナマ身の劉邦その人ではなく、皇帝とは多分に形而上的《けいじじょう》存在であることがわかった。さらにいえば皇帝の尊貴さとは礼をおこなうとによってのみ臣下にわかるものだということがわかった。権力の魔法としての礼が中国に定着するのはこのときからである。この長楽宮での拝賀の儀式がおわったあと、劉邦自身がわが身が変身したことを知った。

「わしは今日にしてはじめて皇帝の貴さを知った」

といった。孔子の儒教はこういうものではなかったかもしれない。しかしこの学問が実際に効用を発揮したのはこのときからであり、このとき以後、中国では儒教と政治が不離のものになる。漢以後の儒教は皇帝に対してはその威権の魔術的演出法として役立ち、百官以下民衆に対してはかれらを礼によって飼いならすということで役立った。ヨーロッパの君主権力とキリスト教との関係に似ている。

徳川家康は豊臣政権の欠陥をよく知っていた。家康が天下をとったとき、かつての室町幕府がもっていた殿中の儀礼をしらべさせ、高家《こうけ》という儀典専門の旗本を置き、江戸城を荘重な儀礼の場にした。徳川は三百年つづいた。その秘密のひとつは諸大名以下を礼式でがんじがらめに縛りあげたところにあるといえるかもしれない。ついでながらこれらの礼式は儒礼ではまったくなかった。室町礼法を典拠とした日本独自のものであり――話題から逸《そ》れるが――この点からみても徳川期は儒教の学問はさかんであったものの、中国文明圏から孤立していた。

この儀礼は、徳川将軍をいかに神聖的存在として演出するかに主題がしぼられていた。たとえば、外様《とざま》大名というのは、一代のうち何度か将軍に拝謁《はいえつ》することがあるのだが、たとえ加賀《かが》百万石の前田氏や薩摩《さつま》の島津氏といえども将軍の顔を見ることはゆるされなかった。おそらくほとんどの外様大名は、将軍の顔を知らずじまいにおわったにちがいない。平伏し、顔をあげることができないのである。顔をみればそこに具体的存在としての将軍家がいるはずだが、顔をあげない以上、将軍はあくまでも形而上的存在であった。しかも将軍のほうからは外様大名を見ることができるのである。

徳川家の典礼というのは、諸事こまごまとやかましく、武家政権らしい簡潔さというようなものはない。この典礼からみればこの政権の本質は武断主義でなく文治主義であったことがわかる。

公卿《くぎよう》出身の岩倉具視《いわくらともみ》が、幕府をたおしたあとでこのことを知ったらしい。

「よほど大層なものであったらしい」

と、明治政府ができてすぐ、岩倉はそのことにおどろき、それが幕府の瓦解《がかい》とともに消えてしまうことをおそれ、かつ、新時代での天皇の権威を装飾するための参考になるのではないか、とおもった。京都の公家《くげ》社会で徳川期をすごした天皇家は、その儀礼が天皇と公家たちだけにかぎられているために、あらたに日本国主としての儀礼が必要になったのである。

明治十一年一月、岩倉具視は、旧幕時代の御家門の家格であった旧越前《えちぜん》福井藩主松《まつ》平慶永《だいらよしなが》（春嶽《しゅんがく》）と外様大名であった旧備前《びぜん》岡山藩主池田茂政《もちまさ》、それに旧伊予《いよ》宇和島藩主の伊達宗城《だてむねなり》の三人をよび、

「お三方《さんかた》でもって、これを調べてくれないか」

と、たのんだ。

これについては、文章でもって正式に委嘱された。その勅語ふうの文章を口語訳すると、

「そもそも明治紀元、王政復古の盛業は、百事維新し、庶民の習慣を開化し、大いに文明進歩の域に達した。ところで、天下をあらたにはじめるとき、古来、前代の規矩《きく》に拠《よ》らざるはない。われわれは前代の典例に通暁《つうぎょう》し、今後の参考に供せねばならぬ。よって徳川氏二百六十年の礼典をあきらかにしたい」

という要旨のもので、岩倉の意図はあきらかに明治権力の装飾のための参考にしようというものであった。

実際の調査と編纂《へんさん》には松平慶永と伊達宗城がこれにあたり、池田茂政は必要があれば二人の質問に応ずるというかたちがとられた。

岩倉はこの事業によほど本腰を入れたらしく、この編纂を勅命のかたちにすべく明

治帝に乞《こ》うて勅語をもらっているほどである。さらに明治十一年四月五日、天皇は松平慶永と伊達宗城を食事に招いた。

二人は、通常礼服で参内した。

午後六時、食事がはじまった。テーブルとイスの西洋式で、料理も西洋料理であった。従ってかつての徳川将軍家の拝謁よりもはるかに簡素である。

明治帝は正面に着席し、むかって右に岩倉具視がすわった。ほかに陸軍卿山県有朋がいる。あとは宮中関係のひとびと——徳大寺宮内卿、佐々木一等侍補、三条西正二位、元田永孚《えいふ》、高崎二等侍補ら——である。

食事がおわると、席は御学問所に移された。そこでこのことについての雑談が交わされた。皇后も出て来られた。飲みものとして、松平慶永の「官私備忘」のこの日付の手記によると、

「カウヒー（コーヒー）ナラビニセリー酒、巻煙草《まきたばこ》ヲ賜《たま》フ」

とあり、こういう礼式は、徳川の儀礼世界からいえばひどくざっかけない西洋式のものであった。松平慶永はシェリー酒が好きだったから、大いに頂戴《ちようだい》したことであろう。

しかし一座のたれもが以下のようなことを多少とも疑問に思ったであろう。こういう西洋謁見方式でいいものかどうか、天皇の権威を権威たらしめるにはもっと荘重でな

ければならないのではないか、ということである、特に、保守家の岩倉具視や山県有朋はもっていたにちがいない。山県の心底については、のちに証拠のような話がある。はなしがはずんで、午後九時におわった。

「旧幕の将軍家というのは、それはそれはたいそうなものでございました」

といったふうの話を、元来言葉数の多い松平慶永などはさかんに喋《しゃべ》ったであろう。色が黒く、棒のように長い顔の伊達宗城は、どちらかといえば無口で、目ばかりぎょろぎょろと光る男であった。かれは必要なことだけを語るか、うなずくかだけだったにちがいない。

岩倉は多弁で、必要なことを具体的に言う男だから、おそらく、

「公家のほうがラクやったな。武断であるべき武家のほうが繁文縟礼《はんぶんじょくれい》やったというのは、これは意外なことやな」

などと感想をのべたかとおもわれる。

これによって作業が開始され、やがてぼう大な書冊としてまとめられた。一冊について八百頁《ページ》以上の本で上中下三巻ができあがった。

「徳川礼典録」

とよばれるものがそれで、公刊されたのははるかに後年の昭和十七年になってから

である。発行所は、尾張徳川黎明会《れいめいかい》であった。松平慶永の子の義親《よしちか》氏が尾張徳川家を相続した縁でそのようになったのかもしれない。

話を豊臣政権のころにもどす。

この政権に儀典がなかったわけではない。諸大名が秀吉に拝謁する様式などは、一応は室町のしきたりに拠《よ》った。しかし厳密なものではなかった。第一、やや複雑だったのは、秀吉が武家でありながら公卿になったことである。室町幕府のばあいは将軍は征夷《せいい》大将軍としてあくまでも武家の棟梁《とうりょう》であったが、秀吉は源氏を称さなかったために将軍になれず、従って幕府をひらけず、さらには室町の武家礼式をそのまま踏襲することができなかった。かれは関白という公卿の最高職につくことによって、天下に対する統治資格をえた。このため参内のときには公卿礼式をもちい、大坂城では武家礼式をもちい、豊臣家独自の礼式というものを編みださずじまいにおわった。

殿中の作法のみだれというのは、豊臣家の特色のようなものであった。これについては浅野《あさの》幸長《よしなが》の述懐というものが遺《のこ》っている。

殿中の作法については、秀吉の秘書部長ともいうべき石田《いしだ》三成《みつなり》がひとりうるさかった。おそらく、

——殿中にあっては御酒《ごしゅ》はつつしまれよ。

とか、

——放埒《ほうらつ》に足など出されては御身分にかかわりまするぞ。

などと、大名の詰間々々に顔をのぞかせては、口やかましく注意してまわったにちがいない。

浅野幸長は元来、三成を憎むことはなはだしく、秀吉の死後、加藤清正や福島正則《まさのり》、黒田長政らとともに三成排斥の徒党を組み、徳川家康をしてその反三成勢力の上に乗っからしめる因をつくった一人なのだが、それほど三成ぎらいのこの幸長が、三成が関ヶ原で敗亡して刑死したあと、豊臣秀頼の大坂城の殿中の乱雑さをなげき、

「三成がいたころは、このようではなかった」

と、しきりに言っていたというのである。三成健在のころは、かれはそれほど口《くち》喧《やかま》しかったらしい。

三成は、漢の高祖が儒礼を採用してはじめて皇帝の尊貴さを知ったように、大坂城の殿中を神聖の場所にしたかったのであろう。しかし当の秀吉自身が死ぬまで西洋史のなかの王たちのようにナマ身の人間として君臨し、中国皇帝や日本の天皇のようなアジア的な形而上的存在にならなかったために、三成の努力は個人の努力におわった。

「いやな奴《やつ》だ」

と、かれが諸大名たちに呪《のろ》われたのは、当然だったかもしれないが、三成がもしこれをやらなかったとすれば、豊臣家の殿中というのは、秀吉が山城の山崎で明智光秀の軍を撃破した直後の中川瀬兵衛のような大名が大あぐらを掻《か》いて、いわば戦功自慢のおだをあげるクラブのような観のものにおわったかもしれない。

蒲生氏郷《がもううじさと》は秀吉の大名であった。ただし織田時代からの大名で、秀吉よりずっと年少ながら、いわばかつての朋輩《ほうばい》であった。秀吉政権の熟れきった文禄《ぶんろく》元年、秀吉が、

「大明《みん》国に討ち入る」

といいだしたとき、氏郷は殿中で、

——猿《さる》め、死場所が無《の》うて血迷うたか。

と、大声でいった。秀吉の耳に直接きこえないとはいえ、三成のような存在にきこえぬともかぎらないのに、堂々と言ってのけている。徳川将軍に対する徳川期の諸大名の態度とはまるでちがったものであった。秀吉のあわれさは、天下をとりながらかれは中国皇帝や徳川将軍のような神聖者の位置についたことがなかったということであった。三成のみが秀吉を神聖者にしようとしてやきもきした。しかし三成も哀れであったのは、かれがこの種の細工をすればするほど全体の空気が三成を冷笑し、嫌悪《けんお》

したことであった。

――礼こそ皇帝をして皇帝たらしめます。

と、漢の高祖に献策したであろう叔孫通のような人物や、それにならって家康に進言したかもしれない儒者林羅山《はやしらざん》のような人物を秀吉がもたなかったからかれの不運があったのか、それとも秀吉は天性、そういう礼楽的な演出や演技を好まず、他の方法で諸大名の鼻づらをひきずってゆけるという自信があったからか、いずれにしても秀吉という人物はこの点を無視したということではアジア離れのした男であったといわねばならない。それとも儒教的中国感覚からいって単に野蛮人だったからだろうか。


話はまた明治時代にもどるが、岩倉具視が腐心した天皇の権威の装飾については、岩倉はそれを自分でやることなしに死んだ。その志は、山県有朋が相続した。

――徳川の儀典をしらべよう。

という、明治十一年四月のこの宮中における会合は大正・昭和の宮中では信じられぬほどに開明的であった。

天皇と諸臣が一つテーブルで西洋料理を食い、その話題を語りあい、おわってお茶に移ると皇后もその場に出られるというふんいきは、明治帝の一代でも後半期にはない。

徳川将軍家の礼式感覚では考えられぬことであった。おそらく席上、松平慶永が、

「むかしは将軍とこのように物を一緒に食べたり、一つ場所で茶や酒をのみながら談笑したりするようなことはございませんでしたよ。世の中もひらけたものでございます」

ということぐらいは、言ったかもしれない。松平慶永は幕末のころから、すこしおっちょこちょいかと思われるほどに開明的な殿さまだったから、この明治十一年四月の宮中におけるこの座の感じがもっとものぞましいものだとおもったかのようにおもえる。

しかしこの席に同席した長州の足軽あがりの山県有朋は、まったく逆のことを思ったであろう。山県は君主を形而上的存在にしてそれを荘重な儀典でもって神聖化することを好んだ。足軽が保守的で、殿様がかえってひらけているというのは、出身階層による思想の現象として他の場合にもしばしばみられる。山県の場合は性格もあり、その重厚好みの国家感覚にもよるだろうが、なによりも大事なのは、かれは長州の二流の志士であったことはたしかながら、一度も革命家であったことはなかったことである。つねに天才的な人物の驥尾《きび》に付し、冒険を好まず、慎重な態度を持し、結局は

藩においては一種の立身のようなかたちで明治維新の世に入ってしまった人物で、維新後ほどなく陸軍中将になり、やがて陸軍の軍政の最高の座についた。かれの出世は秀吉の出世物語に匹敵するほどであろう。そういう山県に立身を保証し、栄誉をあたえたのは明治国家であった。とくに明治の天皇制であった。前身が足軽であればこそいまの自分の栄誉を栄誉たらしめてくれている天皇制をより一層おもおもしいものにしたかったにちがいない。

山県は、明治の政治家のなかではもっとも早い時期の洋行組である。明治二年、西《さい》郷従道《ごうつぐみち》とともにヨーロッパへゆき、とくにパリ滞在が長かった。当時パリではナポレオン三世の帝政が人気をうしない、やがて勃発《ぼっぱつ》するパリ・コンミューンの気分が労働者のあいだで横溢《おういつ》していた。山県らは徳川幕府をたおしてようやく天皇を中心とした統一国家をつくったばかりのときであり、これをつくることが欧米に負けない富国強兵の実をあげる唯一《ゆいいつ》の道だと信じて、先進国見学のためにいちはやく欧州の土を踏んだのである。ところが、欧州はそれよりも先んじていた。王政や帝政はすでに歴史のかなたに去りつつあり、そのことは山県に衝撃をあたえた。

共和制のことを、この当時「合衆政」といった。山県は日本にいる木戸《きど》孝允《たかよし》に、

「世界に合衆政を望み候《さうらふ》は人情の然《しか》らしむる処《ところ》にて」

と、時勢の現実を素直にみとめ、

「よく行きとどきたる英国の政体すら、今日に至りては王威は地に墜《お》ちぬまでにて、歎《なげ》くべき事に御座候」

と書き送っている。

山県はこの趨勢《すうせい》をみて多くの明治の政治家や思想家たちが奇妙なほどそうであったように彼も、「合衆政」の徒にはならなかった。むしろ出発のときよりも熱烈に日本的君主制の基礎を確立すべく帰国した。

明治十年代のおわりごろ、伊藤博文が憲法起草と立憲政治に熱中していたときも、山県は伊藤のそういう考え方に冷淡であった。立憲政体ができあがってからも、山県はむしろ日本の体制に反立憲的要素を入れようとし、その公然たる陰謀に熱中した。かれは陸軍と官僚をおさえ、その法王的存在になり、ついには「天皇の軍隊」「天皇の官僚」という、いわば反立憲的体制を確立することに成功した。もっとも日露戦争までの軍人や官僚の意識は、昭和前期のそれらよりもまだ立憲的であったかもしれなかった。しかし昭和前期の軍閥ファッシズムを生むにいたる素地は、山県が明治期において十分につくっておいたものであった。

明治期における山県は、漢の高祖における叔孫通にあたる者であったかもしれない。天皇の地位をいかに重厚にするかということは、かれの終生の宿題のようなものであった。かれにすれば、

——日本の天皇の神聖装飾は、どうも軽すぎていけない。

という感じがつねにあったが、かといって模倣すべき他の国がなかった。フランスは共和制になってしまっており、英国の王政もおもしろくなく、かといってドイツの皇帝《カイゼル》は日本の戦国時代の武将みたいに軍事も外交も自分の手できりまわしていて象徴性に乏しく、要するに日本の君主制は日本なりに独創的に考えてゆく以外になさそうであった。明治国家の事実上の創り手《つくりて》である山県はかれなりにそのことはやってのけた。仕上げというべき装飾性については、かれは明治二十九年以後にそれをやった。

明治二十九年五月、かれはロシアのニコライ二世皇帝の戴冠《たいかん》式に参列すべく、特命全権大使として露都ペテルブルグにゆき、その戴冠式の荘厳《そうごん》さにおどろき、

(日本もこうでなければならぬ)

とおもい、帰国後、宮内省に容喙《ようかい》し、いままでの儀典を再検討させ、重厚さと神秘

性をもりあげたあたらしい方式に変えさせた。

――ロシア皇帝のごとく荘厳なものを。

と山県がおもったことは、世界史的にいえばひどく戯画的な感じがする。この山県が飾りものとはいえ参謀総長の座について戦った日露戦争の結果、ロシア皇帝の国内における威望がはなはだしく下落し、その敗戦がやがては革命をまねきよせる近因のひとつになってしまったのである。

小説新潮四十七年十月号に載った豊田穣《とよだみのる》氏の「皇帝と少尉候補生」をおもしろく読んだが、このなかに練習航海をおえた少尉候補生たちが恒例によって参内し、皇居の広間で天皇に拝謁するくだりがある。陸軍士官学校や海軍兵学校といった陸海軍の正規将校の養成機関を卒業した者に対してこういうしきたりがあったのは、「天皇の軍人」である以上、当然の名誉慣習であった。非正規将校である幹部候補生や予備学生の者にはむろんこの種のことはない。豊田氏の記述によると、そのとき天皇は白い海軍将校の制服をつけていたという。少尉候補生たちは指導官の少佐の号令でいっせいに「最敬礼」をした。見ることができないという点では、江戸時代の大名が将軍に拝謁する場合とおなじである。小説のこのくだりでは主人公がそっと上目遣いで壇上の人を見たことになっている。やがて壇上の人は去った。ひとことも言葉はなかった。
「これが現人神《あらひとがみ》と呼ばれた頃《ころ》の、日本国天皇の姿であった。いつの間にか溜《た》まってい
た息を吐きながら、持田は小さな落胆を感じていた。未来の提督に対して、なにか、激励のおことばでもあろうかと期待していたのであるが、それはなかった」
と、ある。おそらくこういう演出は多分に山県有朋の神聖装飾の意図と関係があるであろう。

天皇が壇上から消えるときの動作について、豊田氏の文章を無断ながら借りると、
「その人は、はじめ、正面を凝視し、その視線を同じ高さのまま、左九十度までゆっくりと、回し、ついで、同じ速度で右九十度まで回すと、再び、ゆっくりと、つまり、凪《な》いだ海面をすべるヨットのような速度で、中央まで戻《もど》すと、体を、直角に右に曲げ、靴《くつ》をきしませて壇を降りると、前と同じく靴音を規則的に響かせながら、廊下を踏んで、遠くの部屋に消えた」
と、ある。

戦後、天皇はかつて明治以前もっとも長い日本史の時間においてそうであったような位置にもどった。山県が好み、かれがその最大のデザイナーであった天皇の神聖装

飾はあらかたなくなった。

すくなくとも昭和二十年代はそうであった。

この時期、天皇はよく地方巡幸というのをされた。ゆくさきざきでデモに遭ったり、歓迎に遭ったりした。昭和二十六年に京都府北部（丹後・丹波地方）への巡幸があったとき、私は随行記者でなく地元の京都支局の取材記者のひとりとして天皇が立ち寄られるさきざきで待った。丹後の宮津だったか、舞鶴《まいづる》だったかの京都府水産試験場に寄られたとき、陳列品の説明を、水産経済学の専門家である京都府知事の蜷川虎三《にながわとらぞう》氏がみずから説明した。当時、蜷川氏はズボンのポケットに手をつっこむくせがあったが、説明をしながらときどきモーニングのズボンのポケットに手をつっこんだ。つっこんでは気づいて手を出したりしていたが、そういう風景が戦後の天皇によく似合っていた。

天皇は背をまげ、陳列ケースに度のつよい近視のめがねを近づけて説明にうなずいておられたが、私がたまたまその横にいた。私は元来ボンヤリしている人間だから、なにかほかのことでも考えて天皇に注意をはらわなかったのかもしれない。天皇は、豊田氏が書かれている九十度の回転運動をとっさにされたのである。そこに私が物体として立っていた。当然、ぶちあたった。私はよろけて、つい、「失礼！」といってしまった。天皇はみずから旋回運動をしたためによろけなかった。さらに表情に変化もなかった。左九十度の旋回をおわると、つぎの陳列ケースの前に立ち、ここで右九十度旋回して、やはり熱心に陳列品にむかってかがみこまれた。

私には拝謁の経験はないが、衝突の経験はある。

ちかごろ世間に物好きな騒動屋がふえたために、地方記者というえたいの知れぬ人間が天皇のそばに薄ボンヤリ立っているという風景もありえなくなってしまっているかもしれない。昭和二十年代は、天皇の身辺は右のように無警戒で、無用心なものであった。二度と山県的な神聖装飾をほどこそうと企てる者もいなかったようであった。ほどこしたところで、公爵《こうしやく》・元帥《げんすい》山県有朋はじめ明治の華族や顕官たちが得たような利益は、戦後憲法の天皇制からは期待できなくなった。

明治維新における天皇の存在は大きい。天皇を革命の中心に置くことによって、「一君万民」の平等思想が草莽《そうもう》の志士たちをゆりうごかした。この日本史における特異な存在を、山県などが西洋の皇帝のごとく考え直そうとし、しかも外装だけがそうで実体はロシアの皇帝《ツァーリ》のような専制権力を持たなかったところに明治国家の天皇制のいびつと悲惨さがある。

中川瀬兵衛と秀吉の話から話が逸《そ》れたようでもあるが、じつは逸れていないようにも思える。権力というものは装飾すべきものではなく、また装飾して魔術性を帯びさせようとしたところでたかが知れているということである。

最後に話が逸れるようだが、秀吉が、家康や山県にくらべて、なにやら愛嬌《あいきょう》のようなものを後世のわれわれに感じさせるのは、かれが自分の権力を神聖装飾することにずいぶん手抜かりをやってしまったというところにもあるのではないか。

人間が神になる話

坊さんのことは、話題としてはどうも陰気くさい感じで気がひけるが、以下あることを語るためにそこから触れてゆかねばならない。

本願寺のことである。その世襲の法王である門主（東本願寺は法主）は、江戸時代もそうだったが、ごく最近まで門徒衆から、

「ご門跡《もんぜき》さま」

という古めかしい敬称でよばれていた。明治後は東西ふたつの本願寺家は華族になった。どちらも伯爵《はくしゃく》であった。明治後大名は家臣も領民もうしなったが、二つの本願寺家だけはあわせて二万の末寺をひきい、五百万以上の門徒の統領として、貴族としての実質を保っていた。

門跡の旅行は巡錫《じゅんしゃく》とよばれる。門跡が地方に巡錫して宿館で風呂《ふろ》などに入ると、あ

とでこっそりその残り湯を頂戴《ちょうだい》しにくる習慣があった。北陸や東海地方という真宗王国といわれた土地ではごくふつうのことであったらしい。残り湯を飲むのである。湯《ゆ》呑《の》み茶碗《ちゃわん》でいきなり飲むのか、それとも竹筒で汲《く》み、せんをして家へ持って帰って保存しておくのか、そのあたりのことは知らないが、いずれにせよそれを飲用すれば難病もなおるという俗信があった。

　もっとも江戸時代どころではないかもしれない。太平洋戦争がおわって数年後というころ、私の知人がそういう風景を目撃した。

　私がきいた話では、その夜門跡が風邪を召していた。このため入浴されず、お付きの一人であった知人が湯殿に入った。知人が湯殿から出ると、一人の老婆《ろうば》がすばやく戸のすきまから入りこみ、やがて竹筒に湯を満たしてこぼれぬようにそろそろと出てきた。老婆は不覚であった。門跡の大腸菌の入っていないものを汲んでしまった。私の知人は気の毒がって、

「お婆《ばあ》さん」

と、よびとめた。老婆はぎょっとしたように背中だけ見せて足をとめた。ご門跡からお声をかけられた以上平伏せねばならぬとおもったのだろうが、その前に緊張のあ

まり体が硬直してしまったらしい。

「あの湯は私が入ったのですが」

というと、老婆はしばらく背中だけを見せて動かずにいたが、やがてぴしゃっと吐きすてるような勢いでその湯を捨てた。ナマ坊主《ぼうず》の使い湯などなにに効くか、ということだったにちがいない。

こういう奇妙な有難《ありがた》がられ方というものは、他の宗旨にはない。芝の増上寺や知恩院、越前《えちぜん》永平寺、あるいは鶴見《つるみ》の総持寺《そうじじ》の管長や貫主《かんじゅ》さんなどが旅をして風呂に入ってもたれも飲んでくれず、どうやら本願寺門跡だけにかぎられていたようである。かといって、そういう俗信を本願寺が宣伝して植えつけたということはまったくなく、このことはあとでのべることと関連があるので、多少くどいようだが、もうすこし触れつづける。

本願寺は周知のとおり親鸞《しんらん》のひらいた浄土真宗を法義としている。日本の宗教者のなかで親鸞ほど自分の思想に厳格さをもった人間はまれで、かろうじて道元ぐらいなものだったかもしれない。親鸞は念仏往生を説きながら、念仏すれば浄土に往《ゆ》けるとは断定しなかった。親鸞自身死んでそれを試したわけではなかったからである。「往けるかもしれない」といった。さらにかれの厳格さは念仏のほかの自力雑行《じりきざつぎょう》をいっさい捨てたことで、神頼みも呪《まじな》いも坐禅《ざぜん》も祈禱《きとう》もいっさいいけないという立場をとり、ひたすらに念仏をとなえ、その唱える念仏すら浄土へ往けるための呪文《じゅもん》ではないとした。

このため親鸞一代は教団というほどの勢力をなさず、裏店《うらだな》の説教所程度のものだった。その子孫は代々貧窮した。本願寺がにわかに日本最大の宗旨になったのは第八代蓮如《れんにょ》からであり、蓮如は戦国乱世のあらゆる時代的要素を利用して津々浦々の農村に講をつくり、講の組織者として僧を送り、講を武力から防衛するために一見砦《とりで》のような真宗式の寺をつくり、その寺々の上には大寺をつくって分国ごとの管理をさせた。

蓮如は宗教者というよりも、その時代のたれよりも政治家だったし、アジテーターでもあった。かれは大膨脹《ぼうちょう》のために多少とも親鸞の教義をまげざるをえなかった。しかしそれでも呪いをすすめるということはなく、むしろ俗信や呪術に対し一向《いっこう》念仏の一向をたかくかかげて積極的にたたかった。要するに風呂の残り湯を飲めば病がなおるというようなことを蓮如なりその後の本願寺なりが言いだすはずがなかった。

くどいようだが、本願寺が残り湯を飲む式の呪術的なことをいかにきらったかについて、あとのことがあるためにもうすこし触れておく。門跡が自裁したという事件があったらしい。

門跡の名は失念した。西本願寺の正史では病死ということになっていて、この事件は本山で口碑としてつたえられている。この門跡は江戸中期の人で、若くてよほど美男だったらしいことは宮中の女官たちがまるで歌舞伎《かぶき》役者に熱をあげるように大さわぎしたということでもわかる。門跡というのは宮中に大きな儀式があるときには参内しなければならない。そのつど女官たちがさわぎ、ついには中宮までがこの門跡を慕うようになった。

ところがあるときその若い門跡が病気になった。病が重く、参内すべき日に参内できなかった。

女官たちはいよいよ騒ぎ、中宮はついに天台・真言《しんごん》の祈禱僧を宮中によび、門跡の平癒《へいゆ》のために加持《かじ》祈禱をさせた。親鸞以来本願寺が排しぬいてきた呪術を、門跡がたのんだわけではないにせよ、門跡のために他人がやったのである。門跡にとって不幸なことは、かれの病気が平癒したことであった。すでに噂《うわさ》は京都中にひろがっていた。「ご門跡さまのご病気がお加持で癒《なお》られた」という評判は、本願寺が打ち消そうにも打ち消せるものではなかった。門跡の養育係の老僧がいて、かれは宗門の教義の正統をまもる「勧学」という職にあった。この養育係が、これを空前の法難とみた。老勧学にすれば、門跡は法統の唯一人《ゆいいつにん》であり、教学の象徴で、その象徴が雑行によって病が癒ったということになれば親鸞・蓮如以来の法義が崩れざるをえない。門跡は死ぬべきであった。自裁して先祖にわび、世間に対しては病死として加持祈禱の効果を否定しなければならないのである。

まるで講釈のような話だが、江戸期という、他の時代にくらべてきわだって特異な道徳的気分や拘束をもった社会ではどうもゆきつくところが似たようになる。口碑では老勧学が白木の三方に短刀をのせてすすみ出るのである。お覚悟はおよろしゅうございますか、とのみ言うと、門跡は涼やかな人間だったとみえ、心得ている、とうなずき、勧学を退《さが》らせたあと頸動脈《けいどうみやく》を切って死ぬのである。老勧学もあとを追った。ただしかれは餓死した。四十余日、ものを食べなかったといわれる。

それほど法義について厳格であることを要求されている本願寺門跡が、自分のつかった風呂の残り湯が万病に効くということで服用されているという俗信を知れば、法義上腹を何遍切っても足りないはずだが、しかしこれについて本願寺が当惑したり防止に躍起になったりしたという話はきかない。

私は二十代のころ、毎日のように本願寺へ行ったりカトリック教会へ行ったり密教の寺へ行ったりしていた。むろん信心や求道心などあるはずがなく、いまから思えば滑稽《こっけい》なことだがそれが仕事だった。あるとき本願寺で右のことをきいてみた。そんな事実はなかったですよ、という僧もいたが、たいていは「むかしは御巡錫ということになるとそういうことがあったらしいですな」といってくれた。しかしそれが法義上の問題になったことはなかったという。

「ふしぎですね、問題になっていい性質のものですけれどもね」

という僧もあった。

どっちでもいいではないかと読者は思われるであろう。一宗団の、それも昔の話なのである。むろんどっちでもいいのだが、気になっていた。

ところがあるとき、妙なことを知った。

公卿《くげ》（公家）の世界のことである。

公家《くげ》とは京都の御所のまわりに屋敷をもつおよそ一七〇軒ほどの貴族のことで、鎌倉に武家政権ができてから実力をうしない、中世末期にはほとんどが所領をうしなったかっこうで貧窮しきっていたが、位階だけは高かった。徳川期に入って、幕府は石高をきめた。

三代将軍家光がきめた石高は、公家の棟梁《とうりょう》である天皇がわずかに二万十五石四斗九升五合である。諸国の大名の石高からみれば最下位の列に属する。天皇はこの二万石余でもって一七〇軒ほどの公家たちを扶持《ふち》してゆかねばならず、従って公家たちの窮迫は想像にあまりある。ほかに上皇はこれとはべつに一万石もらっていた。その他後宮の賄《まかない》料とし三千石あておこなわれていたが、しかしそれらのすべてをあわせても〝京都藩〟というのは四万石にならなかった。やむなく公家たちはカルタの絵を描《か》いたり、大名や僧が位階をもらうときに形式上の手続きを幕府経由で宮廷に対しておこなうときのささやかな手数料をとったり、あるいは遊芸の免許状の発行料をとったりして内職せざるをえなかった。それでも最低の扶持《ふち》が保証されているために室町末期の窮迫よりははるかにましであった。要するに江戸期の公家は平均的にみて諸藩のお徒士《かち》か足軽程度のくらしだったといっていい。

日本中のいかなる連中よりもかれらが不自由だったのは、旅行の自由がなかったことである。江戸期は一般に旅行の自由に制約があったが、公家はまったくといっていいほどその自由がなく、幕府によって京都に閉じこめられた虜囚のようなものであった。

ただいくつかの例外がある。

その最大の例外が日光例幣使《にっこうれいへいし》である。

徳川将軍家というのは、始祖の家康を神とした。このふとった老人が死ぬと東照大《とうしょうだい》権現《ごんげん》という神号をつけたのは、京の天皇家に張りあうためであった。天皇家の始祖は伊勢《いせ》神宮の天照大神《あまてらすおおみかみ》である。東照は天照と対《つい》をなすもので、その東照大権現である神の子孫が将軍職を継ぐというところも天皇家に似せていた。

さらに天皇家よりもえらくみせるために、毎年、天皇家の眷族《けんぞく》である公家を例幣使として仕立て、道中をさせ、はるばる日光東照宮にまでゆかせて参拝させたのである。徳川家の政略で、京の神が関東の神をおがみにゆくということで将軍家のえらさを庶民に知らせるためであった。

この屈辱に怒った天皇はいた。しかしその家来の公家たちが憤死したという事実はまったくない。江戸時代の公家というものがいかにくだらない存在であったかがこのことでもわかる。

それどころかかれらは例幣使になりたがった。交代で出かけてゆくのだが、この道中でずいぶん金品が稼《かせ》げた。旅費はただで、荷物の運搬費も宿場々々がうけもつから無料である。この特権を利用して京都の商品を江戸で売った。とくに呉服《ふともの》が高く売れた。公家自身が商売をするのではなく、商売は家来がする。公家はそのピンをはねるのである。家来というのはじつはうそで、窮迫している中級以下の公家に家来などはいないのだが、この例幣使の番にあたると、出入りの魚屋や呉服屋などがにわかに家来になって行列を組んで街道を練ってゆくというふざけたものなのである。往《ゆ》きは中《なか》山道《せんどう》の山中を練ってゆき、帰りは日光から江戸へ南下してあとは東海道をのぼる。

宿場々々の百姓たちは運搬の労役にかりだされてずいぶん迷惑したといわれているが、それよりもこの一行は泊ってゆく宿場々々の庄屋《しょうや》たちに、

「入魂《じっこん》じゃ」

ということで、金をせびった。入魂というのは「心安いこと」という意味だから、「心安くしてやったのだからありがたく思え」という金のとり方である。ゆすり・たかりであった。江戸時代というのはこういうことが公然とおこなわれていた。しかし庶民というのはシタタカなものでべつに暴動もおこさず、かえってありがたがっているところもあった。お公家さんの食べのこしの飯粒をひねって丸薬のようにまるめたものを薬だとして売ったりした。ほうそうをわずらっている子供は行列がくると土下座の列の前へにじり出、輿《こし》のそばにできるだけ接近しようとした。お公家さんの霊気を浴びればほうそうが軽くてすむという信仰があったらしい。また風呂の残り湯もも

らうのである。それをもらって薬として飲用すると万病にきくとされた。となると、庶民信仰の世界では公家は神かそれに近い存在であるとおもわれていたということになりそうで、どうやらそういう俗信が津々浦々に遠い昔からあったようにもおもわれる。

ここで重要なことは、将軍の残飯も残り湯も薬にはならなかったということである。素姓加賀の殿様も、薩摩の殿様も、いかに威武を誇っても神さまにはされなかった。素姓がたかが知れているということを、庶民たちは知っていたにちがいない。

さきに触れたように、曹洞禅《そうとうぜん》や臨済禅《りんざい》のお師家《しけ》さんといったような高僧も、薬にはしてもらえなかった。薬になるのは坊さんでは本願寺門跡だけだったということを考えると、本願寺門跡は坊さんだから薬になったのではなく、公家だからなったということが、ようやく私にもわかってきた。

門跡というのは親王か五摂家（公家のなかで五つの家格の高い家）の出身の者にかぎられる。その出身の者が出家して所定の寺（門跡寺）に入ったとき門跡と称されるのである。

寺はきまっていた。宮門跡というのは十五、六軒ほどある。日光輪王寺《りんのうじ》、京都の仁《にん》和寺《なじ》、奈良の一乗院などで、また五摂家出身の者が入る寺は京都の大覚寺、奈良の大乗院など六、七軒ある。

このほかに准《じゅん》門跡というのがあって、本願寺はそれなのである。准とあるのは金で買った門跡資格だからであろう。

本願寺が戦国初頭に大膨脹したことはすでにのべた。戦国末期の顕如《けんにょ》（第十一世）の代になると、顕如その人はさほどの器ではなかったにせよその教勢は絶頂に達した。本願寺は領地こそ一坪ももたなかった。しかし本山が全国の門徒に対してもっている指揮権の強大さと言い、また諸国から上納されてくる金穀のばく大さと言い、乱世の武力勢力としてはいかなる大大名も本願寺に及ばなかったといっていい。本願寺はこの富力を利用して門跡資格を得ようとした。たれが考えた案かはわからないが、じつに奇抜でこういう先例はない。親王とか五摂家といった中世の最高権威を金で買おうというのである。ときの天皇は正親町《おおぎまち》天皇で、先代の後奈良天皇いらい天皇家は貧窮をきわめ、この帝《みかど》は帝位につきながら七年間も即位ができなかった。式をあげる金がなかったからである。

「永禄《えいろく》二年（一五五九）、第十一世顕如、正親町天皇から門跡を勅許さる」

と、本願寺年譜にある。奈良朝以来、日本の宮廷というのは親王や公家の資格を金で売ったことなどなかった。その後もなかった。正親町天皇の貧窮がいかにすさまじかったかが察せられるであろう。同時に本願寺の献金がいかに大きかったかということも察しがつく。永禄二年といえば織田信長がまだその存在を天下に知られていなかったころで、桶狭間合戦《おけはざまのかっせん》はその翌年におこる。本願寺の勢威は大きく、その本山は城のようであった。大阪湾を見おろす上町台地（大阪）の北端に石垣《いしがき》をきずき、堂塔をそびえさせた。京都から淀川《よどがわ》の舟便で一日であり、その舟は石垣の下についた。海路は瀬戸内海岸に勢力をもつ門徒たちは船舶をもって金穀を運び、さらに本願寺の指令は海路九州へも山陰へも北陸へも海上交通をもって伝達することができた。

顕如は門跡になった。

正しくは准門跡だが、よぶ場合には単に門跡とよぶ。宮中では親王や高級公家と一つグループとして礼遇された。宮中の重要な儀典の日にはかならず参内した。江戸中期の本願寺門跡が宮中に参内して宮廷の婦人たちにその美貌《びぼう》をさわがれて悲運をみたというのは、かれが参内の資格と義務をもたなければそういうこともなかったのである。本願寺家の祖の親鸞はどういう出自だったかわからない。本願寺伝説では公家の日野《ひの》有範《ありのり》の子ということになっているが明らかでなく、おそらくそうではなかったにちがいない。さらに伝説では親鸞は九条関白兼実《かねざね》の娘をめとったというが、こんにち研究者でこれを本気で信じている人はない。親鸞は素姓さだかならぬ人であった。その家系が親王や五摂家に准ずる身分になり、貴種になった。そして日本の土俗のなかにあった貴種崇拝とむすびついた。要するに残り湯が薬になるのは本願寺教義によるものではなく、門跡という頭のまるい公家であったからである。

ながながとこういうことを書いたのは、日本人の薬好きの淵源《えんげん》を考えたわけではなく、新潮社が書店に出している「波」という雑誌でドナルド・キーン氏の文章を見たからである。安部公房論を書いておられる。安部公房という日本の作家としてはめずらしく世界性をもった作家の国際性というのはどこに根があるかということについて、評論家の多くが指摘するように安部氏が満州育ちであることに注意を払っておられる。キーン氏の文章を無断で拝借すると、

「安部氏は日本に独特の何ものかがあるということも認めたがらない。戦時中、満州にあった日本人の学校の生徒たちの中に、天皇を神だと信じていたものは一人もいなかったとさえ言い張っている。それは私にとって非常に信じがたいことだが、やはりそれを信じたいのだ」

というくだりがある。安部公房論についてはもっともだと思うが、満州の日本人学校だけでなく、日本の内地の小学校や中学校でもたれもが天皇が神であるとは信じていなかったのではないだろうか。

私は変に頭の髪が白く、年齢をまちがわれるが、どうみても青年のような感じの安部公房氏と学齢がおなじである。だからおなじ時期に小学校にあがり、中学校に入った。私は大阪のうまれで、学校はすべて大阪ですませた。大阪は変な所だといわれればそれでしまいだが、しかし日本であることはまちがいない。もし私が小学校高学年か中学生のころに、

――天皇は神さまだ。

というようなことを言ったとすれば、漫談でもやりはじめたかと同級生が大笑いするにちがいなく、およそそういう年頃《としごろ》の子供でもそんなことは信じておらず、まして「天皇は神ではない」ということをわざわざ言う者もいなかった。天皇が神であるのか人間であるのかというような議論など成立するはずがなく、たれもがごく自然に天皇は人間であられるとおもっていたからである。現人神《あらひとがみ》とか御稜威《みいつ》（天皇の神秘的威光）という言葉は国語の時間に単語としてならったが、生きた口語には入って来なかった。国語の時間にそのような言葉をならってもそれは美称であって天皇が神である

とはどの子供もおもっていなかった。
ところがキーン氏は、「それは私にとって非常に信じがたいことだが」と書いておられる。

この言葉は、私にとって小さなショックだった。
じつをいうと私は青年期になっても、天皇が人間でなく神さまだと信じている友人に出遭ったことがないのである。私は学校の途中で軍隊にとられた。兵役期間の半ばごろ私が赴任した連隊は将校も下士官もほとんど正規軍人で、学生あがりの私どもはほんのわずかという戦局悪化の当時としてはめずらしい部隊だったが、あのころの上官や同僚や部下はみな天皇が神で人間でないと信じていたのだろうか。私はそうとは信じられないのだが、しかしそういう話題が私的な場で出たことがないために、いまとなれば知るよしもない。

人間であるとか人間でなく神だとかというのはその人その人の感覚の世界のことで、感覚の世界のことは証拠資料というものが残りにくく、元来存在しがたい。

逆に天皇は神であったという文献的証拠は無数に存在するのである。

「天皇ハ神聖ニシテ侵スヘカラス」

というのは大日本帝国憲法第三条で、これが最大の証拠であろう。もっともこの条文の解釈は戦前、「天皇は神であります」という宗教的な意味よりも、天皇は政治上の責任を負う必要がないということ、あるいは刑法上の責任も負うことがないということ、法の上に超然としているということを意味し、具体的にいえば政治上いかなる失敗があってもその責任は内閣総理大臣以下にある、とか、あるいは天皇は刑法によって逮捕されることはない、とかという超然性を条文化したものだということになっていた。

その他、天皇が神であるとした文献が、とくに昭和期に入ってずいぶん出た。キリスト教が右翼勢力から攻撃されたことはしばしばであった。それら攻撃側の議論としてまさか「日本では天皇が神だから」と露骨に書いたものはなかったと思うが、基底にはそういう考え方があった。しかしそういう右翼そのものが天皇が神だと本気で信じていたかとなると、どうともいえない。私の学生時代、まわりに右翼青年が多かった。当時の右翼青年にはいろいろ型があったとおもうが、私のまわりには偶然だろうが、いま思いだしてもへどの出そうな人間が数人いた。その数人に共通していたことは人格骨柄《こつがら》がいかにも下品であったこと、女郎買いが好きであったこと、女郎を買うことが豪傑の資格だとおもっていたこと、坐禅を組むことがすきであったこと、さらには帝国主義者のくせに兵隊にとられることをまるで反戦主義者のようにいやがったことなどだが、そういうかれらでさえ本気で天皇を神だとおもっていたとはどうも考えられない。

学生や兵隊以外のふつうの町や村の大人たちも天皇が神であるとは思っていなかったように思える。もっともたれもが、自分がある時代にかつて属したからといってその時代の共通の感覚の証言者としての資格を全備していないように、私も、庶民たちはそうは思っていなかった、などと断定する勇気がないが、しかし私の親戚《しんせき》の半分は百姓たちである。その百姓たちはそんなありうべからざることを信ずるほど病的な精神はもっておらず、そんなやわな精神で、いくら百姓でも世間を渡り、妻子を養ってゆけるはずがないのである。

というようなことを考えたが、しかし一面、天皇は公的な場では神というか、すくなくとも神聖な非肉体的存在とされていた。明治憲法では天皇は不可侵の神聖者であったために、ロシア皇帝やドイツ皇帝のような政治の実権をもたなかった。明治憲法はこの意味では皇帝制の害をふせげるようにできていた。三権分立の政体をもち、その意味では近代的な憲法であったが、しかし文武の官僚組織は憲政が原則でありながら運営面あるいは修辞面では多分にその神聖主義でもって潤色されていた。ただし明治・大正期は潤色でとどまり、国家運営の本質にまでは食いこまなかった。ただ昭和期に入って陸軍参謀本部が天皇の統帥権《とうすい》をたてにとって憲政の常識を乗りこえようとし、ついに乗りこえ、満州事変をおこし、それを拡大してゆく過程において明治憲法国家を変質させることに成功した。

「その変質は、天皇が神だったから可能だった」

といわれれば、まったくそのとおりである。陸軍は不可侵の「神」の大権を逆手にとって国家の質を変えた。天皇が「神」である以上、批判勢力はぐうの音も出せなかった。たしかに天皇は神であったであろう。しかしそれは国家学の上での神であって、庶民や小学、中学生の「神」という概念における神ではなかった。このあたりになると、じつにむずかしい。私が時代の現場証人である資格をもし得るならば、思っていなかったと言いたいのだが、しかしそれは私ひとりの思いこみであるかもしれない。歴史というものはじつに困難である。たとえば元亀《げんき》・天正《てんしょう》という戦国期の真只中《まっただなか》での庶民はどういう気持だったであろう。庶民は苦しんでいた、というよりも案外、日本の歴史のなかで庶民がもっとも明るかった時代というように私は思っているのだが、それもよくわからない。

キーン氏が、大正十三年三月生れの安部公房氏の「満州にあった日本人の学校の生徒たちの中に、天皇を神だと信じていたものは一人もいなかった」という言葉に対し、「非常に信じがたいことだ」といわれているのは、氏の言葉がみじかくもあって、勝手な解釈はできない。しかし、実際はほとんどの健康人たちは天皇が神だとはおもっていなかった。私はそのことを言おうとして、これだけのことをだらだらと考えてしまった。江戸時代の庶民の土俗的な心理のなかに公家が神かあるいは神に近い存在だという感じ方があった以上、明治後もどこか潜在的にその心理が尾をひいているかもしれない、とおもったりした。しかしひるがえっていえばこういうことはいえる。

江戸時代のその庶民たちが、公家の残飯や残り湯が薬になるとまで思っていながら、もしその公家が「それならわしのために命を投げ出せ」と言いだせば、庶民たちはさっさと逃げだすにきまっているのである。庶民にとって公家は「薬」のタネであっても、公家のために死にたいとはおもっていなかった。古来、日本の神信仰の歴史のなかで、西洋の殉教者のように神を崇《あが》めるのあまりそのために死んだ者はいない。日本の神々は多分に祟《たた》りおさえと薬効のために存在していただけで、殉教を強《し》いる性質のものではなかった。ところが幕末の尊王論の成立と普及から、公家は観念的な神聖色を帯びるようになったが、しかし束の間《つかま》のことで、明治後は公家は単なる華族になり、成立早々の観念的な神聖主義は天皇のみに集約された。たとえば昭和十年代に首相だったことがある近衛文麿《このえふみまろ》は五摂家の筆頭で最高位の旧公家の出だったが、しかしたれも近衛文麿を神聖な人だとはおもっていなかった。

逆説的にいえば天皇が神であったということを知識としてもっとも強烈にもっていたのは、日本を占領下においてその責任者になった連合軍総司令官ダグラス・マッカーサー元帥《げんすい》だったかもしれない。

天皇はモーニング着用の礼装でかれを総司令部に訪問した。マッカーサーは略装のままならんで写真をとった。昭和二十一年一月一日、天皇は詔書を渙発《かんぱつ》し、自分は現《あら》人神《ひとがみ》ではない、人間である、と宣言した。有名な人間宣言である。総司令部が、日本を「民主化」するためにそのように仕向けたにちがいないが、これは勇み足であったかもしれなかった。なぜなら天皇を敬愛していた人も天皇に無関心であった人も、はじめから天皇は人間であることを知っていたからである。宣言が出てびっくり仰天したような人はいなかった。ただ天皇をかさに着て猛々《たけだけ》しく国民にむかって権力をふるう連中がもう出て来ないだろうということを感じた程度である。その天皇をかさに着て国民を支配し、国民の精神まで支配しようとした連中の歴史も、決して長い伝統をもったものではない。昭和七、八年ごろから昭和二十年までのせいぜい十数年のあいだで、日本史のなかでの天皇の歴史からいえばきわめて非伝統的で異質な、そしてそれもきわめてみじかい期間にすぎなかった。

ここまで書いても、昭和二十年以前の日本人は天皇を、たとえば稲荷《いなり》さんや天満《てんま》さんなどとおなじグループの、そしてそれよりは神格の高い神であると本気でおもっていたろうかという、私がこの稿で勝手につくった設問の答えにはなっていないのである。

「ある時代人が何を思っていたか」

ということは歴史を感覚としてとらえる上できわめて重要なことなのだが、しかしごく最近の、それも日本人の共通の問題であった事でさえ、それを感覚の課題としてとりだすのはこのように困難なのである。歴史小説などは、そういうものに厳密であろうとすれば、ひょっとすると書きようもないものかもしれない。

この作品は昭和四十九年十月新潮社より刊行された。

「司馬遼太郎記念館」への招待

司馬遼太郎記念館は自宅と隣接地に建てられた安藤忠雄氏設計の建物で構成されている。広さは、約2300平方メートル。2001年11月に開館した。

数々の作品が生まれた自宅の書斎、四季の変化を見せる雑木林風の自宅の庭、高さ11メートル、地下1階から地上2階までの三層吹き抜けの壁面に、資料本や自著本など2万余冊が収納されている大書架、……などから一人の作家の精神を感じ取っていただく構成になっている。展示中心の見る記念館というより、感じる記念館ということを意図した。この空間で、わずかでもいい、ゆとりの時間をもっていただき、来館者ご自身が思い思いにしばし考える時間をもっていただきたい、という願いを込めている。（館長　上村洋行）

利用案内

所在地　大阪府東大阪市下小阪3丁目11番18号　〒577-0803
TEL　06-6726-3860，06-6726-3859（友の会）
HP　http://www.shibazaidan.or.jp
開館時間　10:00〜17:00（入館受付は16:30まで）
休館日　毎週月曜日（祝日・振替休日の場合は翌日が休館）
特別資料整理期間（9/1〜10）、年末・年始（12/28〜1/4）
※その他臨時に休館することがあります。

入館料

	一般	団体
大人	500円	400円
高・中学生	300円	240円
小学生	200円	160円

※団体は20名以上
※障害者手帳を持参の方は無料

アクセス　近鉄奈良線「河内小阪駅」下車、徒歩12分。「八戸ノ里駅」下車、徒歩8分。
Ⓟ5台　大型バスは近くに無料一時駐車場あり。但し事前にご連絡ください。

記念館友の会　ご案内

友の会は司馬作品を愛し、記念館を支えてくださる会員の皆さんとのコミュニケーションの場です。会員になると、会誌「遼」（年4回発行）をお届けします。また、講演会、交流会、ツアーなど、館の行事に会員価格で参加できるなどの特典があります。

年会費　一般会員3000円　サポート会員1万円　企業サポート会員5万円
お申し込み、お問い合わせは友の会事務局まで
TEL 06-6726-3859　FAX 06-6726-3856

司馬遼太郎著
梟の城
直木賞受賞

信長、秀吉……権力者たちの陰で、凄絶な死闘を展開する二人の忍者の生きざまを通して、かげろうの如き彼らの実像を活写した長編。

司馬遼太郎著
人斬り以蔵

幕末の混乱の中で、劣等感から命ぜられるままに人を斬る男の激情と苦悩を描く表題作ほか変革期に生きた人間像に焦点をあてた7編。

司馬遼太郎著
国盗り物語
（一〜四）

貧しい油売りから美濃国主になった斎藤道三、天才的な知略で天下統一を計った織田信長。新時代を拓く先鋒となった英雄たちの生涯。

司馬遼太郎著
燃えよ剣
（上・下）

組織作りの異才によって、新選組を最強の集団へ作りあげてゆく〝バラガキのトシ〟——剣に生き剣に死んだ新選組副長土方歳三の生涯。

司馬遼太郎著
新史太閤記
（上・下）

日本史上、最もたくみに人の心を捉えた〝人蕩し〟の天才、豊臣秀吉の生涯を、冷徹な史眼と新鮮な感覚で描く最も現代的な太閤記。

司馬遼太郎著
関ヶ原
（上・中・下）

古今最大の戦闘となった天下分け目の決戦の過程を描いて、家康・三成の権謀の渦中で命運を賭した戦国諸雄の人間像を浮彫りにする。

司馬遼太郎著

花神（上・中・下）

周防の村医から一転して官軍総司令官となり、維新の渦中で非業の死をとげた、日本近代兵制の創始者大村益次郎の波瀾の生涯を描く。

司馬遼太郎著

城塞（上・中・下）

秀頼、淀殿を挑発して開戦を迫る家康。大坂冬ノ陣、夏ノ陣を最後に陥落してゆく巨城の運命に託して豊臣家滅亡の人間悲劇を描く。

司馬遼太郎著

果心居士の幻術

戦国時代の武将たちに利用され、やがて殺されていった忍者たちを描く表題作など、歴史に埋もれた興味深い人物や事件を発掘する。

司馬遼太郎著

馬上少年過ぐ

戦国の争乱期に遅れた伊達政宗の生涯を描く表題作。坂本竜馬ひきいる海援隊員の、英国水兵殺害に材をとる「慶応長崎事件」など7編。

司馬遼太郎著

胡蝶の夢（一～四）

巨大な組織・江戸幕府が崩壊してゆく――この激動期に、時代が求める〝蘭学〟という鋭いメスで身分社会を切り裂いていった男たち。

司馬遼太郎著

項羽と劉邦（上・中・下）

秦の始皇帝没後の動乱中国で覇を争う項羽と劉邦。天下を制する〝人望〟とは何かを、史上最高の典型によってきわめつくした歴史大作。

司馬遼太郎著
風神の門（上・下）
猿飛佐助の影となって徳川に立向った忍者霧隠才蔵と真田十勇士たち。屈曲した情熱を秘めた忍者たちの人間味あふれる波瀾の生涯。

司馬遼太郎著
アメリカ素描
初めてこの地を旅した著者が、「文明」と「文化」を見分ける独自の透徹した視点から、人類史上稀有な人工国家の全体像に肉迫する。

司馬遼太郎著
草原の記
一人のモンゴル女性がたどった苛烈な体験をとおし、20世紀の激動と、その中で変わらぬ営みを続ける遊牧の民の歴史を語り尽くす。

司馬遼太郎著
覇王の家（上・下）
徳川三百年の礎を、隷属忍従と徹底した模倣のうちに築きあげていった徳川家康。俗説の裏に隠された〝タヌキおやじ〟の実像を探る。

司馬遼太郎著
峠（上・中・下）
幕末の激動期に、封建制の崩壊を見通しながら、武士道に生きるため、越後長岡藩をひきいて官軍と戦った河井継之助の壮烈な生涯。

司馬遼太郎著
司馬遼太郎が考えたこと 1
―エッセイ 1953.10～1961.10―
40年以上の創作活動のかたわら書き残したエッセイの集大成シリーズ。第1巻は新聞記者時代から直木賞受賞前後までの89篇を収録。

司馬遼太郎著

司馬遼太郎が考えたこと 2

—エッセイ 1961.10〜1964.10—

新聞社を辞め職業作家として独立、『竜馬がゆく』『燃えよ剣』『国盗り物語』など、旺盛な創作活動を開始した時期の119篇を収録。

司馬遼太郎著

司馬遼太郎が考えたこと 3

—エッセイ 1964.10〜1968.8—

「昭和元禄」の繁栄のなか、『国盗り物語』『関ケ原』などの大作を次々に完成。作家として評価を固めた時期の129篇を収録。

司馬遼太郎著

司馬遼太郎が考えたこと 4

—エッセイ 1968.9〜1970.2—

学園紛争で世情騒然とする中、『坂の上の雲』の連載を続けながら、ゆるぎのない歴史観をもとに綴ったエッセイ65篇を収録。

司馬遼太郎著

司馬遼太郎が考えたこと 5

—エッセイ 1970.2〜1972.4—

大阪万国博覧会が開催され、日本が平和と繁栄を謳歌する時代に入ったころ。三島割腹事件について論じたエッセイなど65篇を収録。

司馬遼太郎著

司馬遼太郎が考えたこと 6

—エッセイ 1972.4〜1973.2—

田中角栄内閣が成立、国中が列島改造ブームに沸く中、『坂の上の雲』を完結して「国民作家」と呼ばれ始めた頃のエッセイ39篇を収録。

司馬遼太郎著

司馬遼太郎が考えたこと 7

—エッセイ 1973.2〜1974.9—

「石油ショック」のころ。『空海の風景』の連載を開始、ベトナム、モンゴルなど活発に海外を旅行した当時のエッセイ58篇を収録。

司馬遼太郎著

司馬遼太郎が考えたこと　8
―エッセイ 1974.10～1976.9―

'74年12月、田中角栄退陣。国中が「民族をあげて不動産屋になった」状況に危機感を抱き『土地と日本人』を刊行したころの67篇。

司馬遼太郎著

司馬遼太郎が考えたこと　9
―エッセイ 1976.9～1979.4―

'78年8月、日中平和友好条約調印。『翔ぶが如く』を刊行したころの、日本と中国を対比した考察や西域旅行の記録など73篇。

司馬遼太郎著

司馬遼太郎が考えたこと　10
―エッセイ 1979.4～1981.6―

'80年代を迎えて日本が「成熟社会」に入った時代。『項羽と劉邦』を刊行したころの、シルクロード長文紀行などエッセイ55篇を収録。

司馬遼太郎著

司馬遼太郎が考えたこと　11
―エッセイ 1981.7～1983.5―

ホテル＝ニュージャパン火災、日航機羽田沖墜落の大惨事が続いた'80年代初頭。『菜の花の沖』を刊行、芸術院会員に選ばれたころの55篇。

司馬遼太郎著

司馬遼太郎が考えたこと　12
―エッセイ 1983.6～1985.1―

'83年10月、ロッキード裁判で田中元首相に実刑判決。『箱根の坂』刊行のころの日韓関係論や国の将来を憂える環境論など63篇。

司馬遼太郎著

司馬遼太郎が考えたこと　13
―エッセイ 1985.1～1987.5―

日本がバブル景気に沸き返った時代。『アメリカ素描』連載のころの宗教・自然についてのエッセイや後輩・近藤紘一への弔辞など54篇。

池波正太郎著

忍者丹波大介

関ケ原の合戦で徳川方が勝利し時代の波の中で失われていく忍者の世界の信義……一匹狼となり暗躍する丹波大介の凄絶な死闘を描く。

池波正太郎著

男（おとこぶり）振

主君の嗣子に奇病を侮蔑された源太郎は乱暴を働くが、別人の小太郎として生きることを許される。数奇な運命をユーモラスに描く。

池波正太郎著

闇の狩人（上・下）

記憶喪失の若侍が、仕掛人となって江戸の闇夜に暗躍する。魑魅魍魎とび交う江戸暗黒街に名もない人々の生きざまを描く時代長編。

池波正太郎著

上意討ち

殿様の尻拭いのため敵討ちを命じられ、何度も相手に出会いながら斬ることができない武士の姿を描いた表題作など、十一人の人生。

池波正太郎著

闇は知っている

金で殺しを請け負う男が情にほだされて失敗した時、その頭に残忍な悪魔が棲みつく。江戸の暗黒街にうごめく男たちの凄絶な世界。

池波正太郎著

雲霧仁左衛門（前・後）

神出鬼没、変幻自在の怪盗・雲霧。政争渦巻く八代将軍・吉宗の時代、狙いをつけた金蔵をめざして、西へ東へ盗賊一味の影が走る。

藤沢周平著　用心棒日月抄

故あって人を斬り脱藩、刺客に追われながらの用心棒稼業。が、巷間を騒がす赤穂浪人の動きが又八郎の請負う仕事にも深い影を……。

藤沢周平著　竹光始末

糊口をしのぐために刀を売り、竹光を腰に仕官の条件である上意討へと向う豪気な男。表題作の他、武士の宿命を描いた傑作小説5編。

藤沢周平著　橋ものがたり

様々な人間が日毎行き交う江戸の橋を舞台に演じられる、出会いと別れ。男女の喜怒哀楽の表情を瑞々しい筆致に描く傑作時代小説。

藤沢周平著　消えた女
―彫師伊之助捕物覚え―

親分の娘おようの行方をさぐる元岡っ引の前で次々と起る怪事件。その裏には材木商と役人の黒いつながりが……。シリーズ第一作。

藤沢周平著　時雨みち

捨てた女を妓楼に訪ねる男の肩に、時雨が降りかかる……。表題作ほか、人生のやるせなさを端正な文体で綴った傑作時代小説集。

藤沢周平著　密謀（上・下）

天下分け目の関ケ原決戦に、三成と密約がありながら上杉勢が参戦しなかったのはなぜか？　歴史の謎を解明する話題の戦国ドラマ。

吉村昭著

戦艦武蔵

菊池寛賞受賞

帝国海軍の夢と野望を賭けた不沈の巨艦「武蔵」——その極秘の建造から壮絶な終焉まで、壮大なドラマの全貌を描いた記録文学の力作。

吉村昭著

零式戦闘機

空の作戦に革命をもたらした〝ゼロ戦〟——その秘密裡の完成、輝かしい武勲、敗亡の運命を、空の男たちの奮闘と哀歓のうちに描く。

吉村昭著

大本営が震えた日

開戦を指令した極秘命令書の敵中紛失、南下輸送船団の隠密作戦。太平洋戦争開戦前夜に大本営を震撼させた恐るべき事件の全容——。

吉村昭著

ポーツマスの旗

近代日本の分水嶺となった日露戦争とポーツマス講和会議。名利を求めず講和に生命を燃焼させた全権・小村寿太郎の姿に光をあてる。

吉村昭著

破獄

読売文学賞受賞

犯罪史上未曾有の四度の脱獄を敢行した無期刑囚佐久間清太郎。その超人的な手口と、あくなき執念を追跡した著者渾身の力作長編。

吉村昭著

ふぉん・しいほるとの娘

吉川英治文学賞受賞（上・下）

幕末の日本に最新の西洋医学を伝え神のごとく敬われたシーボルトと遊女・其扇の間に生まれたお稲の、波瀾の生涯を描く歴史大作。

新潮文庫最新刊

D・キーン
角地幸男訳
正岡子規
俳句と短歌に革命をもたらし、国民的文芸の域にまで高らしめた子規。その生涯と業績を綿密に追った全日本人必読の決定的評伝。

G・ルルー
村松潔訳
オペラ座の怪人
19世紀末パリ、オペラ座。夜ごと流麗な舞台が繰り広げられるが、地下には魔物が棲んでいるのだった。世紀の名作の画期的新訳。

J・カンター
M・トゥーイー
古屋美登里訳
その名を暴け
―#MeTooに火をつけたジャーナリストたちの闘い―
ハリウッドの性虐待を告発するため、女性たちは声を上げた。ピュリッツァー賞受賞記事の内幕を記録した調査報道ノンフィクション。

L・ホワイト
矢口誠訳
気狂いピエロ
運命の女にとり憑かれ転落していく一人の男の妄執を描いた傑作犯罪ノワール。あまりに有名なゴダール監督映画の原作、本邦初訳。

茂木健一郎
恩蔵絢子訳
生きがい
―世界が驚く日本人の幸せの秘訣―
声高に自己主張せず、調和と持続可能性を重んじ、小さな喜びを慈しむ。日本人が育んできた価値観を、脳科学者が検証した日本人論。

今村翔吾著
八本目の槍
吉川英治文学新人賞受賞
直木賞作家が描く新・石田三成！　賤ケ岳七本槍だけが知っていた真の姿とは。歴史時代小説の正統を継ぐ作家による渾身の傑作。

歴《れき》史《し》と視《し》点《てん》

—私の雑記帖—

新潮文庫　し - 9 - 26

昭和五十五年五月二十五日　発行
平成二十一年九月十日　五十七刷改版
令和四年六月五日　六十三刷

著者　司《し》馬《ば》遼《りょう》太《た》郎《ろう》

発行者　佐藤隆信
発行所　株式会社 新潮社
郵便番号　一六二―八七一一
東京都新宿区矢来町七一
電話　編集部(〇三)三二六六―五四四〇
読者係(〇三)三二六六―五一一一
http://www.shinchosha.co.jp
価格はカバーに表示してあります。
乱丁・落丁本は、ご面倒ですが小社読者係宛ご送付ください。送料小社負担にてお取替えいたします。

印刷・三晃印刷株式会社　製本・株式会社植木製本所

ISBN978-4-10-115226-4 C0195